Honey, you don't know, sure don't know, you don't know my mind, doggone you gal, you don't know, sure don't know my mind. When you see me laughing, I'm laughin' just to keep from cryin'.

Chérie, tu n'sais rien, pour sûr, tu sais rien de ce qui me passe par la tête. Si je ris, c'est juste pour ne pas pleurer.

Take me back, baby, you don't know my mind. I

know my mind, Lonnie Johnson (1926) / Honey, you

gal. You don't know, sure don't know my mind. W

from cryin'. *Honey, you don't know my mind, Bart*

years, people thought I was happy, I was sheddin

Lonnie Johnson (1927) / Now these blues is an awfu

my mouth and laugh. *Lonesome man blues, Georgia*

laughin', baby, but I'm laughin' just to keep from

I'm going down to the station to meet the train,

know, sure don't know my mind, now when you se

You don't know my mind, Judson Brown (1930) / I ha

mine, Ah now, when I waked up in the mornin', h

Peetie Wheatstraw (1931) / When you see me laug

Louis woman stays on my mind. *East St Louis Blu*

blue and it sure do worry my poor mind. When yo

Trouble in blues, Bo Carter (1938) / Some people th

They see smile on my face, but my heart is blee

(1938) / Baby you don't know my mind Lord, Lord

me laughin', I'm laughin' just to keep from cryin'

/ He said he didn't want me, I wasn't good enough

You don't know, you don't know my mind You se

Don't Know My Mind, Mabel Robinson (1941) / I serv

my feet, an' put me in the col', Man you don't kr

aughin' that's just to keep from cryin' *You*

look happy but I'm almost dyin'. *Baby, you don't*

't know, sure don't know my mind, doggone you

you see me laughing, I'm laughing just to keep

Bob (1927) / Was your slave so many lonesome

misery in tears. *When a man is treated like a dog,*

nful thing to have. I just to keep from cryin', open

n (1928) / Oh babe, you don't know my mind, I'm

'in'. *Kind Babe Blues, James Stump Johnson* (1929) /

by ain't on it, I will go insane, because you don't

e laughing, I'm just laughing to keep from crying.

dream last night, now, the whole round world was

whistle, now, to keep from cryin'. *Creeping Blues,*

, I'm tryin' to keep from cryin', my little East St

Bumble Bee Slim (1934) / Baby, I'm troubled, in the

ear me whistlin', I'm whistlin' to keep from cryin'

s I'm happy, but they sho' don't know my mind.

g all the time. *Bleeding heart blues, Jimmie Gordon*

rd, Baby you don't know my mind When you see

Man jumped Salty On Me, Rosetta Crawford (1939)

gonna get myself another man and call his bluff

e laughin', laughin' just to keep from cryin'. *You*

ny little woman sweet jelly roll, took the shoes of

you don't know my mind, but when you see me

'n't Know My Mind, Herman E. Johnson (1961)

Laugh

Rire...

in'

... just to
from cry...

Blacks in

... pou
pl

le Noir dans l'Amér

keep

n'

White America

r ne pas

eurer

que blanche

Du même auteur :

Talkin' That Talk, Le langage du blues, du jazz et du rap [1986, 1992], Kargo, 2003.

À Amadou Diallo.
À Elisabeth, Jérôme et Yannick.
À André J. M. Prévos.

Remerciements
à Mary Ison et à son équipe à la Bibliothèque du Congrès, Washington D.C.
à Viken Berberian, Randall Cherry, Philippe Fréchet, Robert Macleod, Philippe Rousselot, Marie-Jo Soury.

textes enregistrés entre 1925 et 1960 par [*Blues lyrics recorded between 1925 and 1960 by*] Kokomo Arnold, Kid Bailey, Willie Bak

Hattie Burleson, Mary Butler, Bo Chatman, Big Boy Crudup, Cow Cow Davenport, Madlyn Davis, Walter Davis, Tom Dickson, Piano

William Harris, Jessie Mae Hill, Papa Charlie Jackson, Jim Jackson, Skip James, Frankie 'Half Pint' Jaxon, Blind Lemon Jefferson, I

Charlie Kyle, Leadbelly, Furry Lewis, Mance Lipscomb, Wilbur McCoy (Kansas Joe), Brownie McGhee, Blind Willie McTell, Hannah

Elzadie Robinson, Irene Scruggs, Will Shade, Bessie Smith, Speckled Red, Vol Stevens, Roosevelt Sykes, Tampa Red, Slim Tarpley,

selected and translated by
choisis et traduits par **Jean-Paul Levet**

photographies de Esther Bubley, John Collier, Marjory Collins,
Jack Delano, Walker Evans, Dorothea Lange, Russell Lee,
Edwin Locke, Gordon R. Parks, Marion Post Wolcott, Edwin Rosskam,
Arthur Rothstein, Ben Shahn, John Vachon.

Éditions Parenthèses / 2002

Bob, Ed Bell, Black Ace, Blind Blake, Ardell Bragg, Big Bill Broonzy, Willie Brown, Bumble Bee Slim,

ds, Sleepy John Estes, Nellie Florence, Dessa Foster, Blind Boy Fuller, Little Bill Gaither, Georgia Tom,

son, Robert Johnson, Stovepipe Johnson, Tommy Johnson, Blind Willie Johnson, Charley Jordan, Luke Jordan,

his Jug Band, Memphis Minnie, Mississippi Sheiks, Charley Patton, Pleasant Joe, Blind Joe Reynolds,

ylor, Ramblin' Thomas, Henry Townsend, Peetie Wheatstraw, Bukka White.

Parole noire, regards blancs en noir et blanc

Black Talkin', White Gaze (in black and white)

Photographier l'Amérique de la Dépression

En 1933, Franklin Delano Roosevelt accède à la présidence des États-Unis et lance le *New Deal*. D'inspiration keynésienne, la « Nouvelle Donne » utilise le déficit budgétaire, le lancement de grands chantiers et l'introduction de mesures de nature sociale pour relancer une économie en pleine dépression [1]. C'est dans ce cadre qu'il crée en 1935 le Secrétariat aux Réformes rurales (*Resettlement Administration*) chargé de soutenir une agriculture — dévastée par la chute des cours, la sécheresse, la déforestation, l'épuisement et l'érosion des sols — qui laisse plus de 8 millions de travailleurs de la terre au bord de la famine et pousse nombre d'entre eux sur les routes.

Le Secrétariat, sous la direction de l'économiste Rexford Tugwell, membre du *Brain Trust* du président, prend une série de mesures pour tenter de juguler cette crise sans précédent : prêts à faible intérêt, mise en place de fermes expérimentales et d'exploitations communautaires, lancement de programmes d'études... Ces mesures sont fortement contestées par l'opposition républicaine acquise aux doctrines libérales, aussi prend-il le parti de mettre le pays face au désastre économique, social et écologique et crée-t-il une section photographique (*Historical unit*) chargée de promouvoir les actions du gouvernement. Il a pris conscience très tôt de l'impact du document photographique pour l'avoir lui-même abondamment utilisé dès 1925 dans *American Economic Life* [2] [*La vie économique américaine*] ; à l'époque, c'est à un certain Roy Stryker, possédant une excellente connaissance des problèmes agraires, qu'il avait confié la charge de constituer le fonds documentaire : c'est à nouveau lui que Tugwell choisit pour diriger ce nouveau service. En 1937, le Secrétariat, jusque-là indépendant, est rattaché au ministère de l'Agriculture et prend le nom sous lequel il reste dans les mémoires, Farm Security Administration [Secrétariat aux Questions agraires]. À la fin de 1941, alors que les États-Unis se préparent à entrer en guerre, la section est rattachée à l'Office of War Information [Service d'Information des Armées] ; les objectifs patriotiques deviennent alors prédominants et il s'agit plus de louer les vertus et la force de l'Amérique que d'exposer ses problèmes. Roy Stryker démissionne en 1942 entraînant avec lui la disparition de la section historique.

Dès sa prise de fonction, ce dernier constitue une équipe de photographes

1. De 9% en 1929, le chômage atteint 40% en 1932.
2. Tugwell, Rexford G., Munro, Thomas and Stryker, Roy E., *American Economic Life*. New York, Harcourt, Brace and Co., 1925.

1. The level of unemployment stood at 9 percent in 1929, rising to 40 percent in 1932.

13

Photographing the American Depression

In 1933, Franklin Delano Roosevelt took office as president of the United States and launched the "New Deal". Based on Keynesian principles, this program drew on the budget deficit, public works and social measures to rescue the economy from the depths of the Depression.[1] It was within this framework that Roosevelt created the Resettlement Administration, which was entrusted with the task of bolstering a farm industry that had been devastated by a dramatic drop in prices, not to mention droughts, deforestation, soil depletion and erosion, all of which had left more than 8 million land workers on the verge of famine and forced to take to the road.

Rexford Tugwell, an economist who was the Assistant Secretary and, later, the Under Secretary of Agriculture, and a member of the president's so-called "Brain Trust", took a series of measures intended to come to grips with the unprecedented economic crisis. They included offering low-interest loans, creating experimental and collective farms, and initiating research programs. These measures were highly contested by the Republican opposition, which was firmly entrenched in the doctrines of economic liberalism. This prumpted Tugwell to make the country aware of the severity of the economic, social and ecological disaster. He created the Historical Unit, whose mission was to promote the government's new plan of action. From the very start, Tugwell decided to rely on the impact of photography, having himself used photographs extensively in 1925 for *American Economic Life*.[2] At the time, he had commissioned a certain Roy Stryker, who was well acquainted with farming issues, to compile documentary photographs. Tugwell called upon Stryker once again to oversee the newly-created unit. In 1937, the unit, up until then independent, merged with the Farm Administration, under the name of Farm Security Administration. The FSA would be firmly engraved in America's collective memory. By the end of 1941, as America prepared to go to war, the unit merged with the Office of War Information. As the change-over made clear, patriotism had now taken precedence over social and economic matters. The focus was on glorifying America and its armed forces rather than shedding light on its problems. Roy Stryker resigned in 1942 and the Historic Unit was eliminated in the wake of his departure.

From the moment Stryker had assumed his position, he had embarked on building a team of photographers, first recruiting Arthur Rothstein, one of his former students at Columbia University, the journalist Carl Mydans, Walker Evans, then a free-lance photographer, and Ben Shahn, who had already prepared a well-received collection of photographs on the American South

2. Tugwell, Rexford G., Munro, Thomas and Stryker, Roy E., *American Economic Life*, New York, Harcourt, Brace and Co., 1929.

en s'appuyant d'abord sur Arthur Rothstein, l'un de ses ex-étudiants à l'université de Columbia, Carl Mydans, un journaliste, Walker Evans, alors photographe indépendant, et Ben Shahn qui avait déjà effectué un reportage remarqué dans le Sud fin 1935. Les clichés de chômeurs et d'ouvriers agricoles itinérants réalisés par Dorothea Lange attirent son attention et il l'engage comme correspondante pour la côte Ouest. La composition de l'équipe va beaucoup varier durant les sept années de son existence : Mydans est le premier à la quitter en 1936, suivi par Evans en 1937 et Rothstein en 1940, tandis que Russell Lee (1936), Marion Post (1938), Jack Delano (1940), John Vachon (1940), John Collier Jr. et Gordon Parks (1941) prennent la relève.

Roy Stryker ne laisse rien au hasard : les campagnes de prises de vue sont minutieusement préparées, les cibles repérées et une documentation abondante — économique, sociologique, historique et géographique — est fournie à chaque photographe avant son départ sur le terrain. Les catastrophes naturelles (crues du Mississippi et de l'Ohio en 1937, sécheresse), les effets de l'action de l'homme (déforestation et érosion) sont, avec les projets subventionnés par le Secrétariat, parmi les sujets traités. Dans de longues lettres, l'animateur du projet complète ses instructions initiales en fonction des clichés que lui transmet régulièrement chaque photographe. Après une rencontre avec Robert S. Lynd, l'auteur de *Middletown*[3], un ouvrage qui fait date en matière de sociologie urbaine, il incite l'équipe à s'intéresser aux scènes de la vie quotidienne et à l'impact de la crise.

3. Robert S. Lynd & Helen Merrell Lynd, *Middletown : A study in contemporary american culture*, New York, Harcourt, Brace and Co., 1929.

14

Walker Evans et Dorothea Lange avaient déjà mené des travaux de sensibilisation de l'opinion publique aux problèmes des chômeurs et Marion Post était tout particulièrement sensible aux problèmes des Noirs qu'elle photographie dans les *juke joints* du Sud. Cette nouvelle orientation vient légitimer les choix faits par certains photographes : rendre compte des effets sociaux de la Dépression et de la réalité sociologique du pays.

Roy Stryker n'est pas lui-même photographe ; il se charge de la promotion des actions soutenues par le gouvernement et assure la plus large diffusion aux documents ramenés par son équipe ; les photos, libres de tous droits, sont largement utilisées par la presse, les magazines et les revues photographiques comme *Life* ou *Look*. Des expositions itinérantes sont dans le même temps organisées et plusieurs livres majeurs, illustrés par l'équipe, sont publiés [4].

C'est de cette entreprise documentaire, l'une des plus importantes jamais lancées de par le monde, que provient le choix présenté ici.

4. *Land of the Free* (1938) ; *An American Exodus* (1939) ; *Home Town* (1940) ; *Let Us Now Praise Famous Men* (1941) et surtout *Twelve Million Black Voices : a folk history of the Negro in the United States* (1941) avec un texte de Richard Wright.

Le Noir dans l'Amérique blanche (1877-1942)

Lorsque débute l'entreprise photographique de la Farm security Administration, la condition du Noir américain est particulièrement dramatique. Cette situation se noue en 1877, lorsque le républicain Rutherford B. Hayes accède à la présidence après un accord avec les démocrates et leur candidat Samuel J. Tilden : son élection en échange du retrait du Sud des troupes fédérales d'occupation. Ce marché entraîne de fait l'abandon des récents affranchis à leur sort et crée les conditions de la restauration de la suprématie blanche dans les ex-États confédérés.

C'est par ce triste marchandage que se clôt la tutelle fédérale sur les États sécessionnistes. Cette période, dite de Reconstruction [5], avait pourtant fait naître les plus fols espoirs parmi les populations noires ; après l'Émancipation, le Congrès, en 1868 et 1870, avait voté les 14e et 15e amendements, leur accordant l'accès à la citoyenneté et aux droits civiques. Ces dernières décisions avaient été arrachées au président Andrew Johnson, successeur de Lincoln, par le Congrès dominé par les républicains les plus radicaux et leur leader, Thaddeus Stevens. Les États sécessionnistes avaient été sommés d'adopter de nouvelles constitutions accordant aux Noirs des droits politiques que les travailleurs agricoles d'Angleterre ne devaient acquérir que quelque vingt ans plus tard [6].

in 1935. After Dorothea Lange's photographs of itinerant farmers attracted his attention, he hired her as a correspondent for the West Coast. The composition of the team would change over the seven years of its existence: Mydans would be the first to leave, in 1936, followed by Evans in 1937 and Rothstein in 1940, as others joined its ranks, including Russell Lee (1936), Jack Delano (1940), John Vachon (1940), John Collier Jr. and Gordon Parks (1941). Stryker left nothing to chance. The shooting sessions were prepared in painstaking detail, with the subject matter being selected beforehand and the photographer being supplied with extensive economic, sociological, historical and geographical documentation before going out in the field. Aside from the FSA-sponsored projects, the subjects included natural catastrophes (floods of the Mississippi and Ohio rivers in 1937, and droughts), as well as man-made disasters (deforestation and erosion). In minutely detailed letters, Stryker, acting as project coordinator, carried out his initial instructions based on the photographs sent to him by each photographer on a regular basis.

After meeting Robert S. Lynd, the author of *Middletown*,[3] a seminal work on urban sociology, Stryker encouraged the team to focus on scenes of daily life and how people were impacted by the crisis. Walker Evans and Dorothea Lange had already created work that had succeeded in raising the public's awareness of the problem of the unemployed; and Marion Post had been particularly sensitive to the problems experienced by Blacks, whom she had photographed in southern juke joints. This new orientation gave added credibility to the choices certain photographers had already made: giving an account of the social effects of the Depression and producing a sociological chronicle of the country's lived reality.

As Roy Stryker was not himself a photographer,

Mais après l'euphorie, les Noirs américains vont être les victimes de la reprise en main des rênes du pouvoir par les suprématistes blancs. De marchandise, le Noir affranchi est devenu un rival, économique et politique, mais aussi sexuel, qu'il faut « maintenir à sa place ». Les 14e et 15e amendements, avec la bienveillante neutralité de la Cour Suprême, sont progressivement vidés de toute substance par des lois scélérates, dites « Jim Crow », instituant un régime de stricte ségrégation [7]. Cette évolution, plus ou moins rapide selon les États, est couronnée au plan fédéral en 1896 par l'arrêt de la Cour Suprême « Plessy contre Ferguson [8] » qui légitime la doctrine « séparés mais égaux » ; cette situation ne commencera à être réellement ébranlée qu'en 1954 lorsque la Cour déclare inconstitutionnelle cette disposition dans le système éducatif [9].

3. Robert S. Lynd and Helen Merrell Lynd, *Middletown: A Study in Contemporary American Culture*, New York, Harcourt, Brace and Co., 1929.

5. *Reconstruction Act* (1867).
6. Voir Michael Banton, *Sociologie des relations raciales*, Paris, Payot, 1971.
7. L'exclusion des minorités, bien loin d'être dans la société américaine un épiphénomène, est inscrite dans la Constitution adoptée en 1879 qui exclut totalement les Indiens et tient pour quantité négligeable les Noirs dont la « valeur » est fixée à « 3/5e de toutes les autres personnes » (article 1, section 2).
8. Plessy était un mulâtre qui, un jour de juin 1892, s'était installé dans un wagon réservé aux Blancs.
9. Arrêt *Brown v. Board of Education*. Auparavant, les efforts de F. D. Roosevelt en matière de déségrégation dans l'armée ou de Truman dans les transports inter-étatiques étaient restés de portée limitée.

16

he mainly ensured that the government's mission was observed and saw to it that the photographs brought back by his team were circulated as widely as possible. The shots, which were free of all rights, were widely disseminated in the pages of the press, journals and in photo magazines such as *Life* and *Look*. At the same time, traveling exhibitions were organized and several major books illustrated by the team were published.[4]

The material selected for inclusion in this book have been drawn from this bold documentary undertaking, which stands as one of the world's most ambitious.

Blacks in white America (1877-1942)

When the Farm Security Administration embarked on its photographic project, the condition of Blacks in America was particularly grim. This situation had stemmed, in part, from events dating back to 1877, when the Republican Rutherford B. Hayes took office as president, thanks to an arrangement between the Democrats and their candidate Samuel J. Tilden. Under the terms of their agreement, Hayes would be elected in exchange for the withdrawal of Federal troops that were occupying the South. This resulted in recently freed slaves who were left unprotected to fend for themselves. It paved the way for the restoration of white supremacy in the former Confederate states.

The unfortunate outcome of this political maneuvering was that it brought an end to federal supervision of the secessionist States. At first, this period, known as Reconstruction,[5] incited great optimism among Blacks. After Emancipation, Congress adopted the 14th and 15th amendments, in 1868 and 1870, granting blacks access to citizenship, civil rights and suffrage. These decisions had been wrested from President Andrew Johnson, Lincoln's successor, by a Congress dominated by the most radical Republicans and their leader, Thaddeus

Aussi sincère qu'elle ait pu être, l'action des républicains radicaux porte en elle les germes de l'échec : leur préoccupation majeure est l'égalité politique et ils se préoccupent peu de la situation économique et sociale des affranchis. Si ceux-ci ont bien accédé à la citoyenneté, ils sont sans terre, sans ressources et sans instruction ; la proposition de Thaddeus Stevens de leur distribuer « 40 acres et une mule » reste lettre morte, bloquée par le président Andrew Johnson [10] et leur situation en cette fin du xixe siècle est particulièrement tragique : à l'esclavage légal s'est substitué, en quelques années, un esclavage de fait ancré dans le système du *sharecropping* liant, pratiquement sans espoir de s'en détacher, le métayer à son propriétaire. Le Ku-Klux-Klan, fondé en 1865 avec l'objectif affirmé de rétablir la suprématie blanche, répand la terreur dans les campagnes et ses idées gangrènent la société américaine. En 1883, la Cour Suprême couvre ses exactions en vidant de son sens le 14e amendement garantissant aux Noirs le respect de leurs droits par les États : elle juge en effet que cette disposition ne saurait s'appliquer en cas de violations opérées par des particuliers.

4. *Land of the Free* (1938); *An American Exodus* (1939); *Home Town* (1940); *Let Us Now Praise Famous Men* (1941) and above all *Twelve Million Black Voices: a Folk History of the Negro in the United States* (1941) with text by Richard Wright.
5. *The Reconstruction Act* (1867).

10. Seule une infime minorité de Noirs se sera vue dotée de lopins de terre par le bureau fédéral des émancipés. La terre octroyée début 1865 sera finalement rendue à la fin de la même année après un décret présidentiel.

En quelques années, sous la triple conjonction de la terreur [11], de lois scélé-rates et de l'asservissement au plan économique [12], les populations noires se trouvent ramenées à une situation par certains aspects pire que celle qu'elles ont connue durant la période esclavagiste. En 1910, le Sud a atteint ses objectifs : les Noirs ont pratiquement disparu des listes électorales sans que le gouvernement fédéral ou l'opinion publique ne protestent [13]. Après l'euphorie née de l'Émancipation et de l'accession à la citoyenneté, c'est du brutal contrecoup d'une suprématie blanche restaurée que naît l'une des formes majeures de la musique noire américaine, le blues.

Une parole noire : le blues

Une tortue dit à un esclave : « Ce que je dis, moi, de vous autres nègres, c'est que vous parlez trop » ; l'esclave, étonné de rencontrer un animal possédant la parole, s'ouvre de cette étrangeté à son maître qui ne veut pas en croire un mot. Tous deux s'en retournent voir l'animal qui reste muet : l'esclave est sévèrement corrigé pour ses affabula-tions. Quelque temps plus tard, rencontrant à nouveau la tortue, il lui demande pourquoi elle ne lui a pas répondu en présence de son maître : « Voilà ! C'est bien ce que je dis de vous autres nègres : vous parlez toujours trop. »

11. 161 lynchages pour la seule année 1892, 1111 pour la dernière décade du XIXᵉ siècle et 24 en 1933, lorsque Roosevelt accède au pouvoir.
12. « Dans à peu près tout le Sud rural, les fermiers noirs, mais aussi blancs, sont des péons, liés par la loi et la coutume à un esclavage économique d'où la seule évasion est la mort ou le pénitencier. » W. E. B. Du Bois, *The Souls Of Black Folk* (1903).
13. « Il y a un siècle de cela, un grand Américain qui nous couvre aujourd'hui de son ombre symbolique, signait notre acte d'Émancipation. [...] Mais cent ans ont passé et le Noir n'est pas encore libre. Cent ans ont passé et le Noir est toujours tristement entravé par les liens de la ségrégation, les chaînes de la discrimination. » Extrait du discours de Martin Luther King le 28 août 1963 à Washington.

Stevens. The secessionist states had been compelled to adopt amend-ments conferring political rights to Blacks that farmers in England would not secure until some twenty years later.[6]

After the initial euphoria had subsided, black Americans realized that they had in fact become the victims of power politics that placed the reins of power firmly in the hands of white supremacists. From being no more than chattel, freedmen had not only become economic and politi-cal rivals but also generated a fear of the social and sexual mixing of the races. Hence, they had to be "kept in their place". With the Supreme Court adopting a neutral position, the 14th and 15th amendments were eventually sapped of their vital force by the notorious "Jim Crow" laws that conspired to maintain a system of strict racial segregation.[7] This trend, which evolved more or less rapidly depending on the state, culminated in the Supreme Court's "Plessy v. Ferguson" decision,[8] whereby the federal government legitimized the principle of "separate but equal." It was not to be shaken until 1954 when the Court declared the provision unconstitutional in a case involving the education system.[9]

As sincere as the radical Republicans may have been, their efforts were doomed to failure from the very outset: the Republicans' major concern was with the balance of political power, for, in fact, they had little regard for the socio-economic situation of freed Blacks. Although Blacks had attained the status of citizens, they remained, on the whole, landless, poor and uneducated. Thaddeus Stevens's proposal to give them

6. See Michael Banton, *Sociologie des relations raciales*, Paris, Payot, 1971.
7. The exclusion of minorities, far from being merely a phenomenon, was embodied in the Constitution of 1879. It excluded Indians and set Blacks' worth at "3/5ths of all other persons". (Article 1, Section 2).
8. Plessy was a mulatto who, one day in June 1892, boarded a train passenger car restricted to whites.
9. The Brown v. the Board of Education decision. Earlier efforts, such as FDR's move to desegregate the army, or Truman's with regard to inter-state transportation, were limited in scope.
10. Only a small minority of Blacks would actually be granted parcels of land by the government. Lands rights, which were granted at the beginning of 1865, would be revoked by a presidential decree at the end of the same year.

11. In 1892 alone there were 161 lynchings; 1111 in the last decade of the 19th century and 24 in 1933, when Roosevelt took office.
12. W.E. Du Bois, *The Souls of Black Folk* (1903).
13. "Five score years ago, a great American, in whose symbolic shadow we stand today, signed the Emancipation Proclamation [...] But one hundred years later, the colored America is still not free. One hundred years later, the life of the colored American is still sadly crippled by the manacle of segregation and the chains of discrimination." An excerpt from Martin Luther King Jr.'s speech, August 28, 1963, Washington DC.

Ce conte de la tortue qui parle (*Talking Turtle*), recueilli par Richard M. Dorson [14], est révélateur, comme l'est le dicton invitant le Noir « à ne pas parler plus que la peau de son dos ne peut le supporter [15] » : en présence du Blanc, surveiller sa parole est pour le Noir une nécessité vitale.

Après l'Émancipation, une commission d'enquête est mise en place et à la question « Est-ce que les maîtres savent quoi que ce soit de la vie secrète du peuple noir ? », l'ex-esclave Robert Smalls répond : « Non monsieur. Les Noirs montrent à leurs maîtres une vie, et une autre vie, ils ne la montrent pas [16]. » C'est cette dupli-cité qui s'affiche dans la strophe récurrente :

« You don't know, sure don't know my mind,
When you see me laughing, I'm laughin' just to keep from cryin' [17]. »

"40 acres and a mule" proved to be no more than wishful thinking after it was vetoed by President Johnson.[10] By the end of the 19th century, the black man's situation had reached cruelly dramatic proportions: legalized slavery had been replaced by sharecropping, a de facto form of slavery under which tenant farmers were all but hopelessly dependant on landowners. The Ku Klux Klan, founded in 1865 with the goal of re-establishing white supremacy, spread terror throughout the countryside, as its ideals insidiously poisoned American society. In 1883 the Supreme Court gave tacit approval to its acts of violence by eviscerating the 14th Amendment guaranteeing that States would protect the rights of Blacks: it ruled that the provisions of the amendment did not apply to violations by private individuals.

In a few years, the concurrence of three factors — terror,[11] discriminatory laws and economic servitude[12] — meant that Blacks were forced to endure conditions that, in certain regards, were worse than during slavery. Furthermore, in 1910, the South attained one of its main objectives: Blacks had practically disappeared from the electoral lists, without that fact generating the slightest protest on the part of the federal government or public opinion.[13]

It was in the climate of the euphoria following Emancipation and the dream of citizenship, and the ensuing setback caused by the resurgence of white supremacy, that one of the major forms of African-American music, the blues, was born.

Dans un contexte ségrégatif, l'existence de deux niveaux de langue ne doit pas surprendre : l'un est utilisé dans les groupes de pairs, relations amicales ou privées, l'autre dans les situations de disparité (en présence d'un Blanc et/ou d'un supérieur) qui sont potentiellement porteuses d'un danger et nécessitent d'être sur ses gardes. Lors d'un enregistre-ment, le *blues singer* d'avant-guerre ne pouvait que solliciter ce dernier niveau. On comprend alors mieux pourquoi la parole délivrée par le blues — telle que fixée par le disque — est une parole sibylline ; et si elle dénonce, ce n'est qu'à mots couverts. Elle s'ingénie à brouiller les pistes comme les brouille, au sens propre, l'esclave évadé, héros de la ballade *Lost John* :

Got a heel in front
Got a heel behind
Well you can't hardly tell
Whichaway I'm goin'.

14. Richard M. Dorson, ed., *American Negro Folktales*, New York, Fawcett, 1968, p. 148.
15. «Don't say no mo'wid yo'mouf dan yo'back kin stan'» [don't say no more with your mouth than your back can stand] ; cité par J. Mason Brewer, «Old-Time Negro Proverbs» in Alan Dundes ed., *Mother Wit from the Laughing Barrel*, Englewood Cliffs, Prentice Hall, 1973.
16. Arna Bontemps, *Five Black Lives*, Wesleyan University Press, 1971, citée par Bruno Chenu in *Le grand livre des negro spirituals*, Paris, Bayard, 2000.
17. *Honey, You Don't Know My Mind*, Barbecue Bob (1927).

Talkin' b(l)ack: the blues

14. Cited by Richard M. Dorson, ed., *American Negro Folktales*, New York, Fawcett, 1968.
15. Cited by J. Mason Brewer, "Old-Time Negro Proverbs" in Alan Dundes, ed., *Mother Wit from the Laughing Barrel*, Englewood Cliffs, Prentice Hall, 1973.
16. Cited in *Slave Testimony*, ed. John W. Blassingame, Baton Rouge, Louisiana State University Press, 1977.
17. *Honey, You Don't Know My Mind*, Barbecue Bob (1927).

A turtle tells a slave: "Black man, didn't I tell you you talked too much?" The slave, astonished to discover a talking animal, runs back to tell his master about his strange discovery. The master doesn't believe a word, but when he is led back to see for himself, the turtle remains totally silent. The master then gives the slave a good beating for coming up with such wild fables. Some time later, when the slave comes upon the turtle again, he asks the turtle why it refused to talk in the presence of his master. It answers: "Black man, didn't I tell you you talked too much?"

This tale of the *Talking Turtle*, collected by Richard M. Dorson,[14] is quite telling, as is the proverb reminding the Negro "Don't say no mo' wid yo' mouf dan yo' back kin stan" ["don't say no more with your mouth than your back can stand"].[15] The moral is that watching what you say in the presence of whites is of vital importance for the black man.

After Emancipation, an investigating committee for the Freedman's Bureau was set up to conduct a survey. When former slave Robert Smalls was asked "Do the masters know anything of the secret life of the colored people?" he responded, "No, sir; one life they show their masters and another life they don't show."[16] It is that same duplicity that comes across in the following recurring verse found in the blues:

"You don't know, sure don't know my mind,
When you see me laughing, I'm laughing to keep from crying."[17]

It should come as no surprise that under segregation two levels of language co-existed: one was used among friends or in private; the other was used in situations of disparity among non-peers (in the presence of whites and/or a superior), that is, situations that were potentially dangerous and required that one be constantly on one's guard. When making a recording, the pre-World War II blues

Les chants produits dans des situations de parité, réunions entre amis et voisins, ont pu prendre des accents plus explicitement dénonciateurs ou revendicatifs comme en témoignent les chants recueillis par Lawrence Gellert [18] ou cette strophe chantée par Butch Cage et Willie Thomas :

Turn that nigger 'round and knock him on the head
'cause white folks say : 'We're gonna kill that nigger dead' [19].

En tant qu'appartenant à un groupe minoritaire dans un environnement oppressif, le *blues singer* va mettre en œuvre diverses stratégies : canalisation de l'agressivité par sa fixation sur des substituts (et en premier lieu, la femme), valorisation de héros négatifs et de conduites déviantes, refuge dans la religion, porteuse de l'espoir d'un monde meilleur. Les paroles vont solliciter dérision, langage à double sens ou

18. Entre 1924 et 1937, Lawrence Gellert, fils d'immigrants hongrois, enregistre en Géorgie et dans les Carolines environ 500 chansons ; près de la moitié contient des références ouvertement politiques et peuvent être considérées comme des « protest songs ».
19. « Retourne ce macaque et frappe-le à la tête, les Blancs disent : "on va l'laisser raide mort, ce sale nègre". » *Kill That Nigger Dead*, Butch Cage & Willie Thomas (1960) enregistrée par Paul Oliver et citée in *Conversation With The Blues*, Londres, Cassell, 1965.

manipulation [20], comme autant de défis subtils à l'autorité du Blanc. Ces derniers aspects ont été largement sous-estimés par les commentateurs et le blues a souvent été décrit comme l'expression même du fatalisme et de la résignation. Les couplets sélectionnés ici montrent que cette appréciation ne saurait à elle seule rendre compte d'une réalité multiple : sous le message explicite, sous des formes masquées [21] se cache, au hasard d'un quatrain, un implicite indéchiffrable en dehors de la communauté qui l'a engendré.

Regards blancs en noir et blanc, point de vue noir

L'objectif assigné à l'équipe de photographes [22] était de rendre compte des différents programmes agraires lancés dans le cadre du *New Deal*. Mais, sous l'impulsion de Roy Stryker, elle s'employa à témoigner également de la réalité sociologique du pays. Les quelque cent trente clichés présentés ici ont été sélectionnés pour ce qu'ils montrent de la vie du Noir dans l'Amérique blanche de la fin des années trente et du début des années quarante. Ils proviennent du fonds de la Farm Security Administration conservé à la Bibliothèque du Congrès à Washington [23].

Le système de classement du fonds s'organise par grandes régions géographiques, puis par sujets ; les recherches ont privilégié les régions à fortes proportions de Noirs (notamment le *Deep South* et les grandes métropoles du Nord) et sur les sujets susceptibles d'éclairer les thématiques récurrentes du blues — déracinement, chômage, pénitencier, superstition, petits ennuis et grandes catastrophes — mais aussi sexualité, jeu, joie ou espoir.

Cette masse documentaire de la FSA ne recèle aucun cliché relatif à des événements dramatiques, lynchages, scènes d'émeutes ou violences policières. S'il en avait recelé, nous leur aurions pourtant préféré la sélection présentée ci-après qui, mieux que des images extrêmes, témoigne de la violence sourde, lancinante du quotidien. Nous avons également choisi de concentrer nos choix sur des photos d'anonymes, acteurs muets de l'histoire [24].

singer could only be circumspect in his or her choice of language. Only in that light can we attempt to understand why blues lyrics — as recorded on disk — must be seen as a covert language. If it denounces, it does so only between the lines. It craftily covers its tracks in the same way an escaped slave literally covered his tracks in the ballad *Lost John*:

Got a heel in front
Got a heel behind
Well you can't hardly tell
Which away I'm goin'

Songs produced among peers or in social gatherings between friends and neighbors took on a much more blatant tone of denouncement or protest, as is evidenced by songs collected by Lawrence Gellert[18] or this verse sung by Butch Cage and Willie Thomas:

Turn that nigger round and knock him on the head
cause white folks say: 'We're gonna kill that nigger dead.'[19]

As a member of a minority group living in the midst of oppression, the blues singer would adopt various strategies to vent his feelings. He might channel his aggression by focusing on substitutes (women, first and foremost), adulating anti-heros (tricksters and Badmen) and deviant behavior, or taking refuge in religion, which held out hope for a better world. Blues lyrics relied on mockery, double entendres, manipulation and play on words,[20] subtle means of defying white authority. These types of subterfuge have been largely underestimated by commentators,

20. Sur ces derniers points, voir Jean-Paul Levet, *Talkin' That Talk* [1986], Lille, Kargo, 2003.
21. Jim Crow désigne le préjugé de race ; *they* ou *them*, dans certains contextes peuvent désigner les Blancs...
22. Tous blancs à l'exception notable de Gordon Parks.
23. La sélection finale est issue d'une présélection de plus de 600 photographies effectuée en mai 1998 à la Bibliothèque du Congrès à Washington.
24. Ont ainsi été écartées les photos de personnalités, telles celles de Duke Ellington et de son orchestre, dues à Gordon Parks.

18. Between 1924 and 1937, Lawrence Gellert, son of a Hungarian immigrant, recorded around 500 songs in Georgia and the Carolinas; nearly half contain open political references and may be considered as protest songs.
19. *Kill That Nigger Dead*, Butch Cage & Willie Thomas (1960) recorded for Paul Oliver and cited in *Conversation with the Blues*, London, Cassell, 1965.
20. On these points, see Jean-Paul Levet, *Talkin' That Talk* [1986], Lille, Kargo, 2003.

21

25. Robert Macleod : *Yazoo 1-20* (1988), *Yazoo 21-83* (1992), *Document Blues 1* (1994), *Document Blues 2* (1995), *Document Blues 3* (1995), *Document Blues 4* (1996), *Blues Document* (1997), *Document Blues 5* (1998), *Document Blues 6* (1999), *Document Blues 7* (2000) et *Document Blues 8* (2001) ; Pat Publications, 19 Braidburn Terrace, Edinburgh EH10 6ET, Scotland.
26. Outre les ouvrages de Macleod déjà cités, on peut retenir : Calt, Stephen & Wardlow, Gayle, *King of the Delta : the Life and Music of Charley Patton*, New York, Da Capo (1988) ; Oliver, Paul, *Blues Fell This Morning*, Collier (1960) réédité sous le titre *The Meaning Of The Blues*, Collier (1963) ; Oliver, Paul, *Screening The Blues*, Cassell (1968) ; Sackheim, Eric, *The Blues Line : A Collection of Blues Lyrics from Leadbelly to Muddy Waters*, Grossman Publishers, New York (1969) ; Taft, Michael, *Blues Lyric Poetry : an Anthology*, Garland, New York (1983).
27. Sans multiplier les exemples, citons cet extrait de *Elder Greene Blues* (Charley Patton, 1929) que Stephen Calt et Gayle Wardlow transcrivent *There's a big 'ssociation in New Orleans* alors que Robert Macleod donne *There's a big stone station in New Orleans* ; citons également *It Won't Be Long* (Charley Patton, 1929) que les mêmes transcrivent respectivement *She got a man on her man, got a kid on her kid, baby* et *She's got a man over on Main, gotta keep her goin'on her feet, baby*.

En écho aux regards blancs de l'équipe de Stryker, des couplets de blues, un des seuls lieux où s'exprime un point de vue noir sur la société nord-américaine ; durant la période de strict apartheid dont il est question ici, il est l'un des rares vecteurs au travers duquel a pu s'exprimer une population noire économiquement exploitée, socialement niée et politiquement écartée. Par ailleurs, le blues, s'il est parole, n'a pas de parolier : en tant que vecteur d'une tradition orale, le *blues singer* chante le blues autant qu'il est chanté par lui. Les textes illustrent ce processus permanent de transmission / transformation du matériau oral à la source duquel puise le *blues singer* qui, en retour et en permanence, le régénère.

Pour l'essentiel, les extraits de blues présentés ici proviennent du travail de Robert Macleod [25] qui, depuis la fin des années quatre-vingt, s'est engagé dans la transcription systématique de l'ensemble du corpus de blues enregistrés. Transcrire est une entreprise qui, plus d'une fois, laisse le transcripteur dans l'expectative : les différences notables que l'on peut relever dans les diverses transcriptions disponibles [26] sont à cet égard particulièrement révélatrices [27]. Certaines des difficultés rencontrées tiennent à des raisons techniques évidentes (qualité des disques, notamment des cylindres et des 78 tours) ; d'autres sont liées aux accents régionaux ou aux défauts d'élocution, aux effets liés au chant (passages susurrés, criés, mots avalés, mélismes...) ; d'autres, enfin, sont inhérentes à la nature même du blues, art qui, dans ses manifestations les plus authentiques, est non narratif et peut comporter des allusions à des personnages, des faits ou des situations connus uniquement des contemporains du chanteur voire de son auditoire local habituel.

Donner à voir les rapports Blanc-Noir ne se révèle pas aisé. Donner à les entendre ne l'est pas moins. En effet, le fonds de la Farm Security Administration n'est que le reflet sur pellicule de la stricte séparation des races alors à l'œuvre et le *blues singer* ne peut, lors d'un enregistrement (qui le met en présence de techniciens et de producteurs, blancs pour la plupart), que solliciter un niveau de langue acceptable dans une telle situation. Ainsi, malgré la taille considérable des corpus disponibles (250 000 clichés et plus de 12 000 blues), seul un choix restreint d'items met ces relations en scène. C'est à partir d'une sélection préalable de 1100 couplets de blues que s'est opérée la « mise en musique » des photos retenues. Afin de disposer d'un corpus exprimant un point de vue noir aussi authentique que possible, les textes cités sont presque tous antérieurs à l'accession du blues à la popularité auprès du public blanc : ils ont été enregistrés pour l'essentiel entre 1925 et la Seconde Guerre mondiale, une toute petite minorité l'ayant été entre 1945 et 1960.

Des regards blancs, en noir et blanc, un point de vue noir : une façon de rendre la parole aux acteurs de l'histoire au quotidien.

[J.-P. L.]

and the blues have often been mistakenly described as clear evidence of the black man's fatalism and resignation. The verses selected for inclusion here show that such a simple assessment does not adequately account for the different types of reality that the songs were capable of evoking: underneath the songs' explicit message, scattered throughout a quatrain, there were masked references[21] that were indecipherable by anyone outside the community that had created them.

The white gaze in black and white, from a black perspective

The mission assigned to the team of photographers[22] was that they give an account of the different farm programs launched under the New Deal. However, at Roy Stryker's initiative, the team also sought to chronicle the country's sociological reality. The one-hundred and thirty or so photographic images presented here were chosen to reflect the lives of Blacks in white America at the end of the 1930s and at the beginning of the 1940s. They are taken from the Farm Security Administration's archives at the Library of Congress in Washington.[23] The archives' filing system is arranged by geographical region, then by subject. We have culled images dealing mainly with regions with large black populations (in particular, the Deep South and major cities in the North) and subjects that inform recurrent themes in the blues, namely, uprootedness, unemployment, penitentiaries, superstition, hardships and great disasters — as well as sexuality, games, happiness or despair.

This repository of FSA documents do not contain any photographs relating to real-life dramas, lynching, riots or police violence. Had there been any, we still would have given preference to the images presented here, which, more so than images of extreme violence, testify to the crushing, muted violence of day-to-day existence. We have consciously opted to concentrate on the nameless, the voiceless.[24] As a counterbalance to the white gaze of Stryker's team of photographers, blues lyrics represent one of the only means through which a black perspective of American society could be expressed. During the period of total apartheid that is treated here, the blues stand as one of the rare forms of expression available to a people that had been economically exploited, socially belittled, and politically excluded. Furthermore, although the blues consist of lyrics, no one lyric writer can truly claim sole authorship of a song. As perpetuator of an oral tradition, the blues singer sings the blues as much as the blues song is

21. "Jim Crow" became a shorthand reference to racial discrimination against blacks. In certain contexts, "they" or "them" refer to whites.
22. All white with the notable exception of Gordon Parks.
23. The final selection was narrowed down from a shortlist of more than 600 photographs carried out in May 1998 at the Library of Congress in Washington.
24. For this reason, images of famous personalities, such as Gordon Park's photographs of Duke Ellington and his orchestra, were not included.

sung through him. That is, the texts bear witness to the incessant process of transmitting/transforming oral material as the blues singer taps into songs over and over again, and by so doing regenerates them.

For the most part, the excerpts of blues songs presented here are taken from a work by Robert Macleod[25] who, since the end of the 1980s, has been committed to systematically transcribing the entire corpus of recorded blues. Transcription, it must be said, is a field that is fraught with uncertainty: the notable differences between available transcripts[26] are especially telling.[27] Certain difficulties stem from purely technical factors (quality of recordings, particularly as regards cylinders and 78s); others stem from problems associated with regional accents or unclear pronunciation, or the sheer nature of singing (whispered passages, shouts, garbled words, melisma, etc.). There are still other problems inherent to the blues, an art which, in its most authentic forms (i.e. derived from oral tradition), is non narrative and may contain allusions to individuals, facts or situations known only to the singer's contemporaries or perhaps familiar only to his regular local audience.

Showing Black-White relations is not an easy task. Making them audible is no easier. Insofar as the photographs rarely show Blacks and Whites interacting, the Farm Security Administration archives are merely the reflection on film of the absolute separation between the races that was status quo at the time. The blues singer, when making recordings in the presence of technicians or producers (most of whom were white), could only call upon a level of language that was acceptable under the circumstances. Thus, in spite of the huge body of work available (250,000 photographs and more than 12,000 blues songs), only a limited selection actually serve to demonstrate such relations. It was on the basis of a shortlist of 1100 blues verses that the selected photographs were "set to music". To ensure that the body of songs remained as authentically black as possible, almost all of the lyrics cited date back to the period before the blues had gained popularity among whites; that is, they were recorded essentially between 1925 and the Second World War, with a small minority having been recorded between 1945 and 1960.

The white gaze, in black and white, from a black perspective: this is a way of giving voice to those individuals whose day-to-day existences have long been relegated to silence, and often lost sight of.

[J.-P. L., translation by RANDALL CHERRY]

25. Robert Macleod: *Yazoo 1-20* (1988), *Yazoo 21-83* (1992), *Document Blues 1* (1994), *Document Blues 2* (1995), *Document Blues 3* (1995), *Document Blues 4* (1996), *Document Blues 5* (1998), *Document Blues 6* (1999), *Document Blues 7* (2000), and *Document Blues 8* (2001); Pat Publications, 19 Braidburn Terrace, Edinburgh EH10 6ET, Scotland.
26. Aside from the works by Macleod already cited, other noteworthy works include: Calt, Stephen & Wardalow, Gayle, *King of the Delta: the Life and Music of Charley Patton*, New York, Da Capo (1988); Oliver, Paul, *Blues Fell This Morning*, London, Collier (1960) republished under the title *The Meaning of the Blues*, London, Collier (1963); Oliver, Paul, *Screening the Blues*, London, Cassell (1968); Sackheim, Eric, *The Blues Line: A Collection of Blues Lyrics from Leadbelly to Muddy Waters*, New York, Grossman Publishers (1969); Taft, Michael, *Blues Lyric Poetry: an Anthology*, New York, Garland (1983).
27. To cite only a few examples, there is a verse from "Elder Greene Blues" (Charlie Patton, 1929) that Stephen Calt and Gayle Wardlow transcribe as "There's a big 'ssociation in New Orleans", whereas Robert Macleod writes "There's a big stone station in New Orleans"; and there is a line from "It Won't Be Long" (Charley Patton, 1929), which the latter transcribe, respectively, as "She got a man on her man, got a kind on her kid, baby" and "She's got a man over on Main, gotta keep her goin' on her feet, baby."

SEQUENZA

I want whiskey when I'm thirsty, mama, good Lord, lightnin' when I'm dry.
Du whisky quand j'ai soif, Bon Dieu, un coup d'raide quand j'ai l'gosier sec.

Pour survivre, le Noir feint de se mouler dans le stéréotype du nègre joyeux, bon enfant, insouciant, véhiculé depuis la période esclavagiste. Ce « masque social » que le Noir est contraint de porter ne se craquellera qu'avec les années soixante et le mouvement des droits civiques, avant de tomber avec l'avènement du rap dans lequel domine l'image du *bad nigger*, violent et agressif.

To survive, Blacks pretended to fit the stereotype of the smiling, care-free Negro that had persisted since the days of slavery. This «social mask» that Blacks were forced to wear did not begin to crack until the 1960s and the civil rights movement. Finally, it was dropped with the advent of rap and its dominant image of the bold even violent "bad nigger".

Soon one morning, the blues knocked on my door.
À ma porte, un beau matin, les blues ont frappé.

D'abord dénommer son mal : blues. Pour mieux l'exorciser. Et le partager : une nécessité pour fonder une identité communautaire, antidote à une ségrégation déstructurante.

To exorcise an evil spirit, you must start by pronouncing its name: the blues. Then you bid others to share the burden. Hence the need to forge an identity as a community, which serves as the antidote to segregation's destructive powers.

The white folks is done started talkin',
You'd better start walkin'.
Les Blancs se mettent à parler,
T'as intérêt à t'éclipser.

Le rapport au Blanc est historiquement déterminé par la déportation, l'esclavage et la brutale retombée de l'euphorie née de l'affranchissement avec la mise en place de l'apartheid. « Fais pas attention à ce que dit l'vieux Jack [Owens]. Il est de l'ancien temps. Il a peur des Blancs. Il a ça en lui. Tu sais, "Ouais, M'sieur, ouais, ouais". » Entretien avec Bud Spires.

Relations with whites have been marked historically by deportation, slavery and the cruelly deceptive blow that came when the euphoria of freedom was smothered by apartheid. "Listen, don't pay no attention to what old Jack [Owens] say. He come from the old time, back, way back. He's scared of white folks. He's still got that old stuff in him. You know, 'Yaasir, yas, yas." Bud Spires' Interview.

I got chains around my body
chains all down around my shoes.

J'suis enchaîné,
un boulet aux pieds.

Contrairement à une idée couramment admise, le 13ᵉ amendement à la Constitution américaine n'abolit pas l'esclavage ; il précise qu'il « n'existera sur le territoire des États-Unis ou autre lieu soumis à leur juridiction, ni esclavage ni servitude involontaire, sauf pour punir un crime, dont un individu aura été dûment reconnu coupable. » C'est ainsi que, dès la fin de la guerre de Sécession, nombre de Noirs, fautifs ou non, se retrouvent « dûment reconnus coupables » et réduits à l'esclavage et au travail forcé. En 1939, les prisons américaines comptent proportionnellement vingt-quatre fois plus de détenus noirs que de détenus blancs.

Contrary to a commonly accepted belief, the 13th Amendment of the American Constitution did not in fact abolish slavery. It specifies that, «neither slavery nor involuntary servitude, except as a punishment for crime whereof the party shall have been duly convicted, shall exist within the United States, or any place subject to their jurisdiction.» That is why, at the end of the Civil War, a number of Blacks where convicted of crimes — often unduly — and reduced to slavery or forced labor. In 1939, American prisons held 24 times as many black inmates as white inmates.

Don't drink no black cow's milk
and don't eat no black hen's egg.

Bois pas le lait d'une vache noire
et mange pas les œufs d'une poule noire.

Le processus ségrégatif trouve son aboutissement lorsque le sentiment d'infériorité du Noir véhiculé par la classe dominante est intériorisé et se traduit en culpabilité.

Segregation achieves its ultimate purpose when the Black man has interiorized the sense of inferiority transmitted by the ruling class.

Keep on truckin'
truckin' my blues away.

Chasser mes blues.

Chasser les blues : une impérieuse nécessité pour le Noir et une thématique récurrente. Et dans le blues comme partout ailleurs, le recours à la superstition, la religion, le fatalisme, le détachement, la musique, la boisson, l'ironie, l'humour... Quelquefois, affleurent la dénonciation ou la révolte.

«Truckin' the blues away» translates a heartfelt need for Blacks and a recurring theme of the blues. In the blues culture, as in all cultures, there can be found religion, fatalism, detachment, music, alcohol, as well as irony and humor, sometimes verging on denunciation or revolt.

Sun gonna shine, in my back door some day.

Le soleil va bien briller un de ces jours sur ma porte de derrière.

I want whisky
when I'm thirsty,
mama, good Lord,
Lightnin' when
I'm dry
I wants a woman
while I'm livin'
And heaven when
I die.

Du whisky quand j'ai soif
Un coup d'raide
quand j'ai l'gosier sec,
Une p'tite femme
tant que je suis en vie
Et l'paradis pour finir.

I got a boogie

La bringue elle a ç
woman, the boogie

dans le sang, c'est
is all she crave. I

une vraie bombe.
believe the boogie

Je crois que
woogie's gonna

l'boogie-woogie
take the woman to

la mènera droit à
her grave.

la tombe.

Now when you go to Memphis, stop by Jim Kinnane, fine women down there, Lord, Lord, that ain't got no man.

Si tu vas à Memphis, fais un saut chez Jim Kinnane. Y'a de sacrées bonnes femmes, Dieu de Dieu, qui n'ont pas de bonhomme.

32

Allez les gars, c'est parti pour le "messin'around". On va s'faire la java. Je vais en ville le crier sur tous les toits : "ma môme m'a plaqué, mais ça m'fait ni chaud ni froid".

Come on boys, let's do that messin' around, this mornin', come on boys, let's have some fun. I'm goin' downtown, spread the news. My gal's quit me and I ain't got the blues. Come on boys, let's have some fun.

Put your hands on your hips and let your mind move on.
Holler like you did the first day you was born. Come on
mama, do that dance for me.

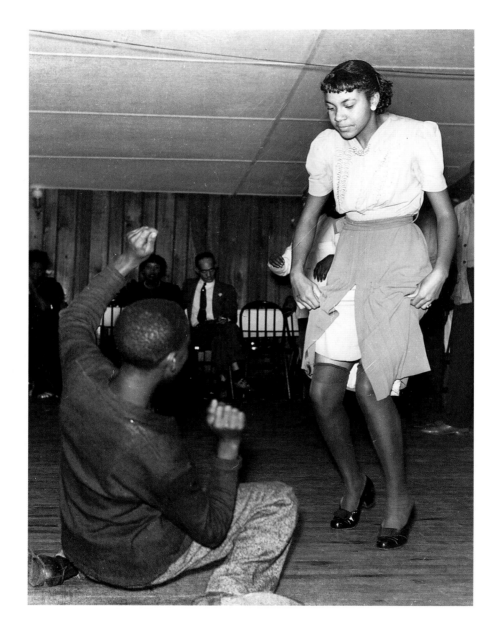

Laisse-toi aller, mains sur les hanches,
braille comme au jour d'ta naissance.
Vas-y chérie, danse pour moi, danse.

ous,
ow out
utes les
our
ley
anse ce
very
ruc et
ight,
est
hey're
raiment
oin' this
poil.
ning and
n
's just
pelle
oo tight.
a
Well they
boogie-
all it
oogie et
oogie-
ut le
Woogie,
onde
very-
y est
ody's
is.
oin' that

oogie-

oogie

ow.

Laid down last night, something on my mind, thought about that black woman and I played the line. If I hit them numbers, I don't worry. I'll be sitting on top of the world.

Cette nuit, quelque chose me trottait dans la tête, je pensais à la dame noire et j'ai parié. Si je décroche la timbale, je me casserai plus la tête, je serai le roi.

De temps en temps je joue le valet mais je préfère le roi. Mais c'est c'te carte qu'on appelle Little Willie, qui m'a ramené la mise.

Said, some time I play the jack, but my head play is a king. But that deuce they call Little Willie brought my money back home again.

Nobody's business, baby, nobody's business but mine, nobody's business, honey, where in the world I'll find my money, nobody's business but my own.

38

C'est pas leurs affaires, ma belle, rien que les miennes. D'où est-ce que je tire mon pognon, c'est rien qu'mes oignons.

If you follow me babe, I'll turn your money green, I show you more money Rockfeller ever seen.

Si tu viens, ma poule, je vais changer ta petite monnaie en gros billets, je vais t'en montrer plus que Rockfeller en a jamais vu.

He said : 'Boy, I know your racket, now, I'm gonna take you to jail', I told him if he did, one of my broads would go my bail. Because I'm the biggest hustler Alabama ever had, I've got a line of jive that is just too bad.

"Je suis au courant de tes combines, je vais te coffrer" qu'il me dit. "Si tu me fais tomber, une de mes gagneuses paiera la caution, parce que, dans tout l'Sud, c'est moi l'cador et j'ai une tchatche d'enfer".

Struttin' down the avenue, makin' eyes and flirtin' too, ah, give me anything but second hand love.

Je me pavane dans la grand'rue et je drague. Ah, donne-moi n'importe quoi sauf un amour d'occase.

41

I said, mama don't allow no jug knockin' in here ; brother, I don't care what mama don't allow, I'm gonna knock one jug anyhow.

Je te l'dis, ma môme ne veut pas qu'on s'cuite par ici. Mon pote, je me fous de ce qu'elle dit, je vais m'en jeter un quand même.

42

Now I'm gonna smoke my reefer, drink my good champagne and wine. Say I ain't gonna let these hard-headed women make me lose my mind.

Je vais m'fumer un joint, boire du vin et du champagne. J'vais pas perdre la boule à cause de ces bonn' femmes.

43

Maintenant j'ai deux femmes, qu'est-ce que tu veux de plus ? L'une m'a payé une sacrée voiture et l'autre m'offre le gîte et le couvert.

But now I've got two women and what more can I do ? One bought me an automobile and the other give me my money and clothing too.

Je cogne à ta porte de derrière, bébé,
mais si tu me donnes ce que je veux,
tu ne m'entendras plus cogner.

Mmm, baby, I'm knockin' at your back door,

but if I get what I want you won't hear me

knock no more.

One john in the city, one lives up on the hill. But the man I'm lovin' lives down in Jacksonville.

Un jules en ville, un autre là-haut sur la colline, mais celui que j'ai dans la peau est là-bas à Jacksonville.

Je me demande pourquoi grand-père raffole autant de ta grand-mère. C'est qu'elle lui fait les mêmes gâteries qu'il y a quarante ans.

46 I wonder what made grandpa, hey, love your grandma so. She's got the same jelly roll she had forty years ago.

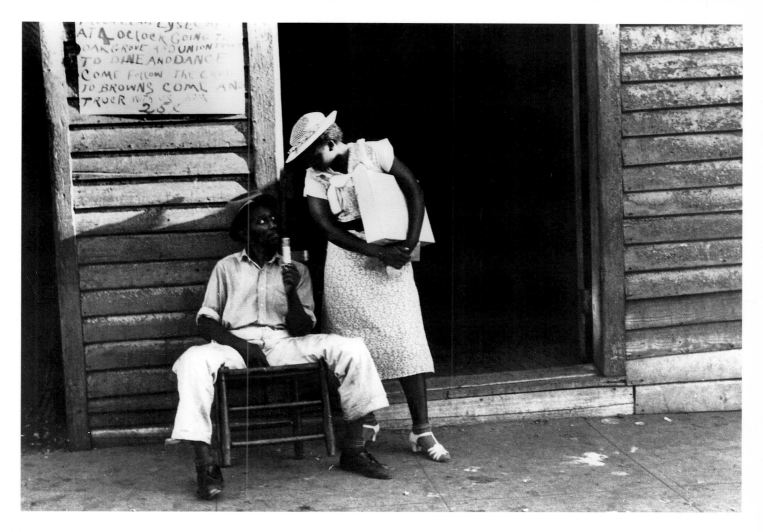

I am the Black Ace, I'm the boss card in your hand. And I'll play it for
you, mama, if you please let me be your man.
Je suis l'As Noir, ta carte maîtresse ; et je la
jouerai, chérie, si tu veux bien que je sois ton
homme.

Won't you let me
roll you, baby, in
my rollin' chair. If I
roll you once, hoo,
well, well, you will
let me roll you all
the year.

47

Laisse-moi te balancer dans
mon fauteuil à bascule, si t'y
goûtes une fois, sûr que tu y
reviendras.

Béatrice, tu veux pas
ramener tes fringues à
la maison ? Je vais
remonter ton petit
phono juste pour
t'entendre ronronner.

Now Beatrice won't you bring your clothes back
home ? I'm gonna wind your little phonograph
just to hear your little motor moan.

Un matin,
sur le
chemin de
l'école,
ouais, sur le
chemin de
l'école, une
petite s'est
pointée,
ouh, et j'ai
jeté ma
gourme.

49

Lord, one mornin' on my way to
school, ho-oo-oo, I was on my way to
school, hoo, Lord, I'm cryin'. Now
come a little girl, hoo-hoo, then I
broke my daddy's rule.

Engineerman tell your fireman
not to let them boilers get cold, I
wanna roll just to Baltimore, in
time to see my sweet jelly roll.

Hé mécanicien, dis au conducteur de pas
laisser refroidir les chaudières. J'ai hâte
d'être à Baltimore pour retrouver mon
homme et son service trois pièces.

If you want a-plenty women, boys,
work at the Chicago Mill, You don't
have to give them nothing, ooh well,
well, just tell them that you will.

Des femmes, si vous en voulez à la pelle, les gars,

venez bosser à la Chicago Mill. Rien à leur offrir,

juste quelques promesses.

soon one morning, the blues knocked on my door. "Come here to stay with you, won't be leavin' no more . . ."

un beau matin, les bleus ont frappé à ma porte. "On est venu pour te tenir compagnie, on va plus te quitter".

54

Oh the **blues ain't nothin' but a** consumption, it kills you by degr[...] *Cox (1924)* / And now, it's two dr[...] grains of sand. Now babe, the wantin' to see her man. *Sweet To* **blues ain't nothin' but a slow-** tuberculosis, kill you by degrees *(1928)* / **Blues ain't nothin but a g[...]** the good times that he once have **blues ain't nothin' but a g[...]** downhearted, blue, disgusted a[...] *Georgia White (1938)* / You know, down shakin', low-down shakin'[...] 'em, honey, I hope you never w[...]

ow achin' heart disease. Just like

s. *The Blues Ain't Nothing But, Ida*

s of water and baby one or two

ues **ain't nothin' but** a woman

ma, Frank Stokes (1927) / See the

in' heart disease. Work like the

The four day blues, Ishman Bracey

d man feelin' bad, thinkin' about

d. *Bumble Bee Slim (1935)* / Oh the

d woman feelin' bad, always

sad. *The Blues Ain't Nothing But,*

e **blues ain't nothin' but** a low

chin' chill. Well, if you ain't had

The Jinx Blues, Son House (1942)

People I've tried every doctor, every doctor in my
neighborhood. But I haven't even found me a doctor that's
capable of doin' my blues any good.

Braves gens, j'ai essayé tous les docteurs, tous ceux du coin.
Mais j'en ai pas dégoté un capable de soigner mon chagrin.

I woke up this morning the blues
were on my mind I was so
downhearted, I couldn't do nothin'
but cry.

Je me suis levé ce matin, les blues plein la tête.
J'étais au sixième dessous, je pouvais rien faire que
m'lamenter.

Sometimes I feel like that I am just a slave, when the blues gets on me, I'd rather be in my grave.

Des fois, j'ai l'impression d'être un esclave. Quand ces blues me tombent dessus, je préférerais être dans ma tombe.

Blues and trouble are my two best friends. When blues walks out, then trouble traipses in.

Les blues et les ennuis

sont mes meilleurs potes.

Quand les blues se

barrent, ce sont les

ennuis qui rappliquent.

La poisse à l'entrée, les blues dans ta piaule, le malheur à ta porte de derrière, qu'est-ce que tu vas bien devenir ?

Hard luck is at your front door, blues are in your room, trouble is at your back door, what is gonna become of you?

Blues grabbed me at midnight and
didn't turn me loose till day,
I didn't have no mama to drive
these blues away.

C'est vers minuit que les
blues m'ont pris ; ils
m'ont pas lâché jusqu'au
petit matin. Et pas la
moindre petite femme
pour les envoyer paître.

62

J'ai marché le long des voies, la veste sur l'épaule. Cette vieille minoterie en Arkansas a débauché, j'ai plus rien à faire par ici.

I put my coat on my shoulder and started walkin' down the railroad track, The old Arkansas Mill has cut out, it ain't no use for me to go back.

I'm gonna lay

my head on

some

lonesome

Je vais poser ma tête sur un de ces rails
et laisser le 2 h 19 m'amener la paix.

railroad iron.

Let that 2.19

train ease my

trouble in

mind.

Well it's one kind favor I ask of you, Lord, it's one kind favor I'll ask of you, see that my grave is kept clean.

Juste une petite faveur, Seigneur. Veille à c'que ma tombe soit bien tenue.

Sayin' motherless children have a hard time,
when mother is dead, Lord, They don't have
anywhere to go, wanderin' around from door
to door, Have a hard time.

Ils en bavent, les gamins qui ont perdu leur mère,
ils errent de porte en porte. Ils en bavent vraiment.

Said my mama, she
told me, Lord,
when I was quite a
child: 'Son you
must always
remember, Lord,
that you was born
to die".

J'étais encore qu'un
gamin, ma mère m'a
dit : "souviens-toi,
mon garçon,
souviens-toi bien
que tu es né pour
mourir".

Ma mère est

My mama's dead,
    morte, mon

poor papa's on
    pauv'papa au

the county farm,
    pénitencier, j'ai

Ehhh, eeeh, on
    plus personne

the county farm
    pour

And I ain't got
    m'apprendre à

nobody to teach
    distinguer le bien

me right from
    du mal.

wrong.

67

Women and children were sc we go? The flood water have h here no more".

68

Storm started at midnight and never stop until day. Seen nothin' but empty houses floating down the river all day.

Vers minuit, la tempête a commencé ; elle ne s'est pas calmée avant le jour. De toute la journée, j'ai rien vu que des baraques abandonnées emportées par le courant.

in', sayin' "Mama where must
the levees and we ain't safe

Les femmes hurlaient. Les enfants criaient : "Où on va ?
les digues ont cédé et nous ne sommes plus en sécurité".

Ces types de l'aide sociale, ils te trai
Ils te donnent une petite boîte de gr

comme des chiens.
double et deux ou trois boîtes de haricots.

Welfare people, they, sure God,
treat you mean, Give you one little
can o' tripe, two, three cans of
bean.

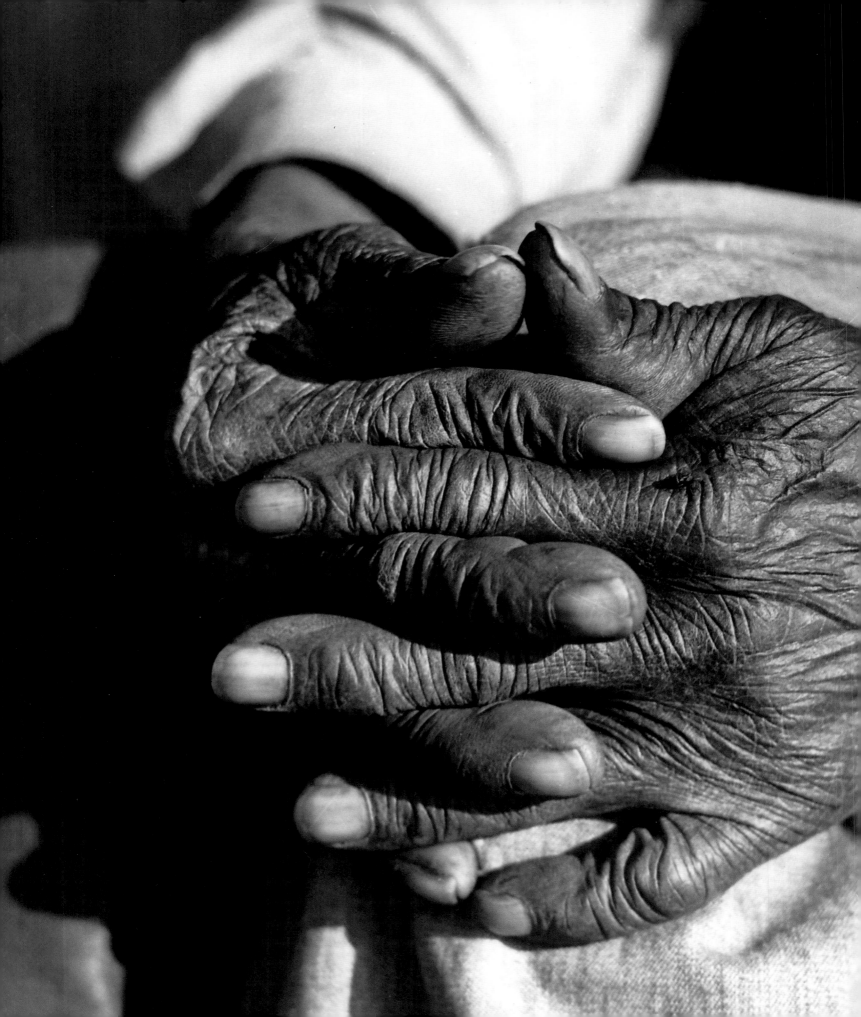

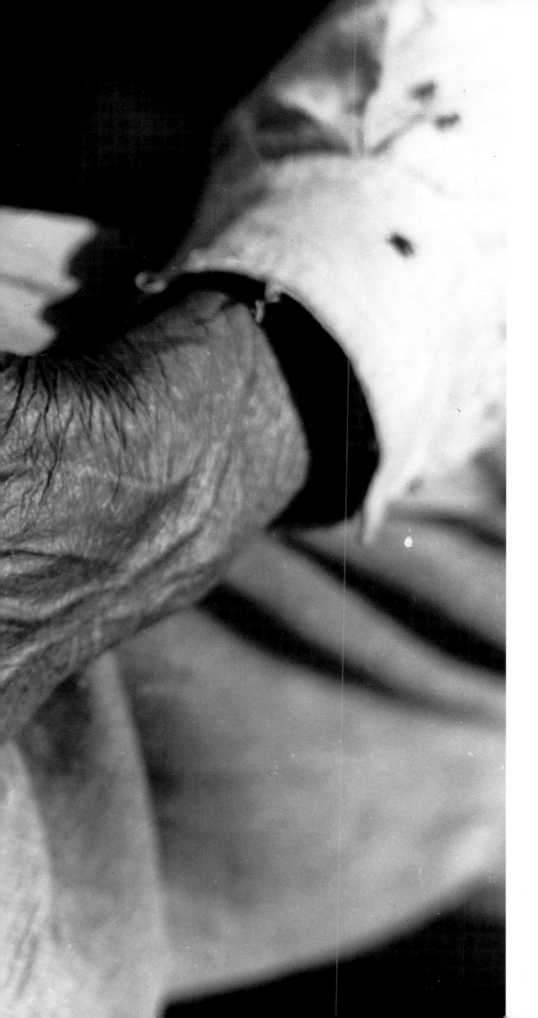

Toute ma vie,
Trouble,
j'ai été dans la
trouble,
panade ; ça a
I've had it
tué ma sœur ;
all my days.
j'ai déjà un
Old
pied dans la
trouble
tombe.
killed my
sister, got
me one
foot in my
grave.

Rien à dire de

demain, mon

Dieu, ni même

d'hier, c'est

comme si chaque

minute, pour sûr,

Can't tell my devait être la toute

future, Lord, dernière.

and I can't

tell my past,

Lord, it

seems like

every minuts,

sure gonna

be my last.

And my poor mother's old now and her hair is turnin' grey, I know it would break her heart if she found I was barrel-housin' this-a-way.

Ma pauvre mère, elle est vieille à c'te heure, et ses cheveux virent au gris. ça va lui briser l'cœur si elle apprend que je mène cette vie de barreau de chaise.

Je te donne mon fric, j'achète tes fringues, mais t'as pas
plutôt les poches pleines que tu me jettes à la porte.
Mais tu auras encore besoin de moi un d'ces jours d'hiver.

I give you my money mama,
buy your shoes and clothes.
Soon as you got big change,
you put me outdoors. Still
you'll need me some old
cold winter day.

Si les blues du chat noir, c'était du blé, je serais
plein aux as comme Henry Ford. Mon Dieu, s'ils
me lâchent pas, j'ai plus qu'à m'barrer.

And if the black cat blues was money, I would be rich as Henry Ford.
Lord, if the black cat blues don't leave me, mama, Lord, I've got to get
further down the road.

top these meatless days from starin' me in the face.

Un p'tit boulot
chez M'sieu
Ford, c'est ça
que je vais me
dégoter,
ça empêchera
ces jours sans
pain de me rire
au nez.

I ain't nothing but a hobo, want something to help me to carry my load. I travelled the road so long, well, well, until it have made my shoulder sore.

Je suis rien qu'un chemineau, je voudrais quelque chose qui m'aide à porter mon fardeau. J'arpente cette route depuis si longtemps que j'en ai les épaules moulues.

You can take the Rhode Island, baby, you can ride to the
end of the line, but you won't find nothing, baby, but a
tough, tough time.

Tu peux toujours prendre le

Rhode Island, bébé, jusqu'au

bout, mais tu trouveras rien

d'autre que de la misère.

When you see two women always runnin' hand in

Quand tu vois deux bonnes femmes main dans la main, tu peux parier

hand, You can bet your bottom dollar one's got the

ton dernier dollar qu'y en a une qui fricote avec le jules de l'autre.

other one's man.

Laisse-moi te dire une bonne chose, ces bonnes femmes sont capables de te piquer ton bonhomme et en plus, de se foutre de toi.

Say, let me tell you what these women will do for you. They will take your man, they will laugh out loud at you.

People you could not
blame me when all I've
got's in pawn.
That no-good-woman
mistreated me, she's taken
all of my money and gone.

C'est pas de ma faute, les
gars, si tout ce que j'ai est
au clou. Cette garce m'a
trompé, elle a pris tout mon
blé et elle a levé le pied.

Ouais, les blues à la baraque, du sol au plafond, les blues de partout, depuis qu'mon homme a quitté ce trou.

Well, it's blues in my house from the roof to the ground, and it's blues everywhere 'cause my good man has left this town.

Je suis rentré à la maison la nuit dernière, y avait un mot sur la porte de ma brune : "chéri, un chaud lapin a pris ta place, tu peux débarrasser le plancher".

Went home last night,
found a note in my
brownskin's door:
"Daddy, a steady roller
has got your room,
man, you can't live
here no more".

Je l'ai connu fringant comme une
Cadillac, maintenant, il est comme une
vieille Ford fatiguée.

Once he was like a Cadillac,
Now he's like an old worn-out Ford.

91

Some woman rocks the
cradle and I declare
she rules her home,
many a man rocks
some other man's baby
and the fool thinks he's
rockin' his own.

Y'a des femmes qui
bercent leur enfant,
et crois-moi elles
portent la culotte ;
et y sont pas rares
les pauvres fous qui
bercent un enfant
en croyant que c'est
le leur.

92

93

I went down to my woman's house, just to sit
down and talk awhile. Her husband come in
with his shotgun and he run me for a solid mile.

Je suis allé chez ma petite,

juste pour tailler une bavette.

Son mari s'est pointé avec

son feu et il m'a coursé un

bon kilomèt'.

94

Mean, every gamblin' man, baby, plays in hard luck some time. He would loose a million dollars tryin' to win a lousy dime.

Je vais te dire, un flambeur joue parfois de malchance. Il irait jusqu'à paumer un million de dollars juste pour ramasser une malheureuse pièce.

95

Cryin', canned heat, canned heat, mama, cryin' sure, Lord, killin' me, Cryin' canned heat, mama, sure, Lord, killin' me, Takes Alcorub to make these canned heat blues.

Pour sûr, c'te bibine est en train de me tuer. Seigneur, pour sûr, en train de me tuer.

Don't
your
room
seem
loneso
me
when
your
gal's
packed
up to
leave.
You
may
drink
your
moonsh
ine, but
your
heart
ain't
never
pleased.

I've
walkin'
all day
and all
night
too
'cause
my
meal-
ticket
woman
have
quit me
and I
can't
find no
work to
do.

Ta piaule, elle te paraît pas vide
quand ta belle s'est fait la malle ?
Tu peux bien boire ton tord-boyaux,
ça te soulagera pas pour autant.

J'ai erré
toute la
journée et
toute la nuit
vu que ma
gagneuse
m'a largué
et qu'y a pas
moyen d'se
faire
embaucher.

It's true you bake good jelly roll, it's the best I've
ever found. But it's one thing you've got to stop,
mama, that's serving it all over town.

Sûr qu'tu sais mitonner de sacrées
gâteries, les meilleures que j'ai goûtées,
mais va falloir arrêter, chérie, avant
qu'toute la ville en ait profité.

Une femme mariée va te jurer que c'est pour toujours ; elle croise son autre jules au coin de la rue et elle lui raconte les mêmes bobards.

A married woman will swear
she'll love you all her life.
And meet the other man
around the corner and tell
that same lie twice.

the white done star you'd bet start walk

les Blancs se sont mis à parler, tu ferais mieux de t'éclipser

folks is

ed talkin',

er

n'

Tell you married men how to keep your wives at home. Get you a job, roll for the man, and try to carry your labor home.

Je vais vous dire, moi, les gars, comment garder votre petite femme à la maison. Trouvez-vous un boulot chez les Blancs, et essayez d'ramener d'la fraîche à la maison.

Makin' a good cotton crop, it's just like shootin' dice. After you work hard all the year round, cotton still won't be no price.

Récolter le coton ou jouer aux dés, c'est du pareil au même ; tu trimes dur toute l'année, et au bout du compte c'est toujours carême.

104

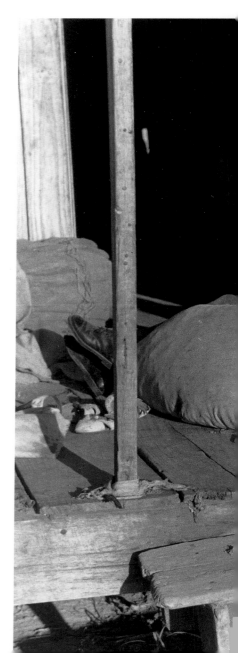

Le patron m'a fauché mon coton et tout le maïs, ma petite s'est fait la malle, c'est-y pas la guigne.

The boss man has robbed me off my cotton and he have taken all my corn. Ain' it hard luck, people, and now my baby gone.

They said, boy, get ready, Hoo well well,
and answer to your name.

Ils ont dit : "mon garçon, tiens-toi prêt, ouh, oui, et
réponds quand on te parle".

107

Went to the barber's shop to get me a shine He said, "Go away darky to that door down the line". Believe I'll drop down, if I don't feel welcome here. Now I'm gonna get me a woman for the brand new incomin' year.

J'suis allé chez l'barbier, il m'a dit : "débarrasse le plancher, négro, va voir chez les tiens". Si je ne suis pas le bienvenu par ici je crois que j'vais laisser tomber. Je vais m'dégoter une petite femme pour la nouvelle année.

Now Brownsville is

my home and you

know I ain't gonna

throw it down.

Because I'm

acquainted with

them laws and they

won't let me down.

Je suis chez moi ici, à Brownsville et j'ai pas envie d'aller voir ailleurs. Je suis en cheville avec les huiles du coin et elles me laissent pas tomber.

Now I've got a girl, she works in the white folk's
yard. She brings me meal, I can swear she brings
some lard. She brings me meal, she brings me lard.
She brings me everything I swear that she can steal.

Ma môme, elle bosse chez

les Blancs, elle m'apporte de

quoi croûter, du saindoux et,

vrai de vrai, tout ce qu'elle

peut faucher.

White folks, please don't give that gal no job, hoo, lordy mama, great god almighty, She's a married woman, I don't want her to work so hard.

Vous les Blancs, par pitié, ne

donnez pas d'boulot à cette

fille, ouh, Dieu du ciel, elle est

mariée et je ne veux pas qu'elle

bosse trop dur.

111

Now I've got a gal, works in the yard. Brings me meat and she brings me lard. The only thing that keeps me barred, People she works for don't allow me in the yard.

Ma môme elle bosse chez eux, elle m'apporte de la viande et du lard. Le seul hic, c'est qu'ses patrons, ils veulent pas de moi dans les parages.

J'ai rêvé que j'étais à la Maison Blanche, dans la chaise du président. Il me serrait la main et me disait "Bill, je suis heureux que tu sois là". Mais ce n'était qu'un rêve et quand je me suis réveillé, j'ai même pas pu trouver une chaise.

I dreamed I was in the White House sittin' in the President's chair, I dreamed he shaked my hand and said 'Bill I'm glad you're here'. But that was just a dream, ah, what a dream I had on my mind, Lord, and when I woke up, baby, not a chair could I find.

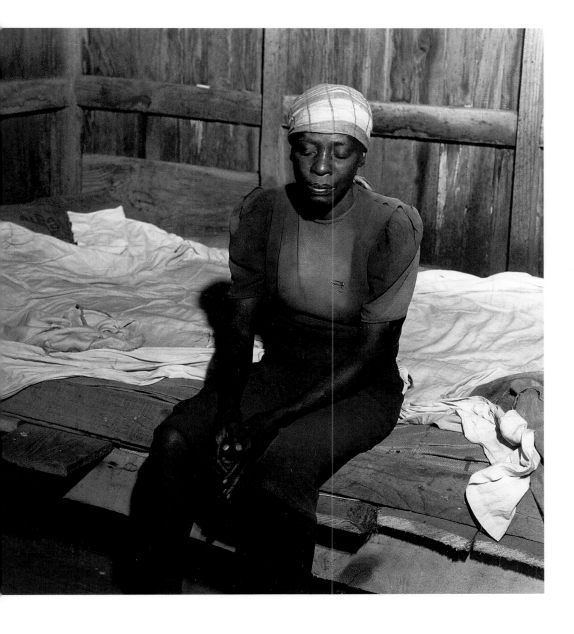

Mes proches, je les reçois dans la pièce de derrière, ces gens veulent pas les voir par ici. Faudrait que je me sorte d'la tête ces foutus blues d'la chambre de bonne.

I receive my company in the rear, still these folks don't want to see them here. Gonna change my mind, yes change my mind 'cause I keep the servant room blues all the time.

They say I was undereducated, my clothes was dirty and torn, Now I got a little education, but I'm a boy right on. I wonder when will I be called a man, or do I have to wait 'till ninety-three?

Ils disaient que je n'étais qu'un ignorant, que mes habits étaient sales et en loques. Maintenant j'ai un peu d'éducation, mais pour eux je suis toujours qu'un gars. Je me demande quand on me considérera comme un homme ? Faut-il que j'attende d'avoir quatre-vingt-treize ans ?

He's in the jailhouse now,
instead of him stayin' at
home lettin' those white
folks' business alone, he's in
the jailhouse now.

116

Il est en taule,

maintenant. Au lieu

de rester à la

maison et de ne

pas s'mêler des

affaires des

Blancs, il

est en taule

maintenant.

J'suis enchaîné, un boulet all de pieds.

I went to the jailhouse, drunk and blue as I could be, But that cruel old ju... / drunk off of white mule down in the alley, they'll tie you to (with) a ball an... *Stay Out Of Walnut Street Alley, Lonnie Johnson* (1927) / Lord, the woman told... go somewhere's else. When you lose your money, learn to lose. *Billy Lyons a...* I was tri... Judge found me guity and I hung my head and cried : Judge,... *Nine Year Blues, Julius Daniels* (1927) / Good mornin', judge, what may be m... (1928) / ...orace the judge gonna give me, six months all on the road, Woma... Now I knew Judge Lewis was in the stand. Had them law books in his hand... been stealin', oh it's clear to me. *Feather Bed, Gus Cannon* (1928) / The jury fou... electric chair'. I asked the judge, 'Judge, what may be my fine.' He said... what the judge said. The darkie pulled a roll of money, big as your head T... dollars, said 'Keep the change'. *Mysterious Coon, Alec Johnson* (1928) / Now the... a feelin' I'm fixin' to leave your town. *Jailhouse Blues, Robert Wilkins* (1928) / I... *Rollin' Log Blues, Louie Bowman* (1929) / Lord the police arrest me, carried me... word *Shelby County Workhouse Blues, Hambone Willie Newbern* (1929) 'Rested... sign him any bail. *Dupree Blues, Willie Walker and Sam Brooks* (1930) / I'd smac... 'm gonna tell the judge, I know that I've done wrong. You go and get some... don't care. *Police Sergeant Blues, Robert Wilkins* (1930) / Judge here I am th... know whether she's dead or alive. *County Jail Blues, J.T. Funny Paper Smith* (193... had this mornin', that's that forty-five of mine. *County Jail Blues, Smith, J.T....* ust have it printed in your paper, a little trouble tween women and men. Co... ine. That judge is bound now Clynn nine 'Cause I've been here so many t... pleaded, clerk wrote it down, mmm. Writing my next jail sentence now, must b... be my fine ?' Said : 'eleven twenty nine and fifty dollar fine'. *Moanin' the Blu...* you to slip me from the pen. *Moanin' The Blues, Allen Shaw* (1934) / Says th... ju... 'm sorry, buddy, but Lord, you're chain gang bound'. *Chain Gang Blues, Koko...* and the judge's holler, 'Good meat for me'. I said 'Ooh, I'm gonna leave... tay there. *I Couldn't Stay Here, Charley Jordan* (1936) / When I was in jail exp... matter how it happened, the sun gonna shine... my door some day. *Sun Gonn...* on Patchman Farm I would'nt hate it so bad but I left my wife and home. ...gree. The judge's wife called up and says 'Let that man go free, He's a je... with his damper down'. *He's A Jellyroll Baker, Lonnie Johnson* (1942) / I was se... ...e free He's a jelly roll baker, He got the best jelly roll in town. Only...

got chains on my body, chains **aux** vn around my shoes.

...ent my man away from me. *Booze And Blues, Ma Rainey* (1924) / When you ge...
...Cause it will make you fight the policeman and call a **judge** out of his name...
...My husband's name's Jack, sheriff, went to arrest poor Stack O'Lee, bette...
...*O'Lee, Furry Lewis* (1927) / On a monday mornin' I was arrested, on a tuesday...
...be my fine? Says, a pick and a shovel way down Joe Brown's coal mine. *Ninety...
...? Fifty dollars, Furry, and eleven twenty-nine'. *Judge Harsh Blues, Furry Lewi...
...'t stand it, God in heaven don't know it. *Jailhouse Blues, Robert Wilkins* (1928)
...begin to speak, pulled out a writ, begin to read it to me. This means you've...
...guilty, **judge** say, 'Listen I say, here I ain't no fine for you, get ready for the...
...a pick and a shovel and get deep down in mine. One hundred dollars' is...
...body in your begin to look strange, When he give the **judge** a thousand...
...gonna sentence me, and the clerk's goin' to write it down. So that gives me...
...the blues for my sweet man in jail and the **judge** won't let me go his bail...
...the **judge** Well the lawyers talk so fast, didn't have the time to say a nary a...
...Dupree placed him in the jail He had the mean old **judge** went to refuse to...
judge and I'd go to jail for a spoonful. *Just A Spoonful, Charley Jordan* (1930)
...rs to come and go my bond because that old girl's mad with me, friend, but...
...nin', and here's my forty-five I shot my woman on Ellum corner and I don'...
...mm, oh Lord, I heard that **judge** say ninety-nine And it's one thing I wished...
...aper (1931) / Now don't ask me no questions, **judge**, 'bout our troubles begin...
...il Blues, T. Funny Paper Smith (1931) / Give me a break, Don't make me pay no...
...ell I To The Judge, Nessa Foster & Howling Smith (1931) / Now the old **judge** he...
...ound. Quiet Bound, Joe McCoy (1932) / Lord I asked the **judge** What should...
...ow Snow (1934) Yes I asked the **judge** to be easy as you can that's all I want...
...he found me guilty and the clerk he wrote it down And the sheriff said 'Now...
...old (1935) / I was down in jail, baby, I went down on my knee, Babe stood up...
...ooh Lord travelin' everywhere', I had a good home, baby, Lord but I wouldn'...
...a fine, when I went before that **judge**, not a friend could I find. But it don'...
...e In My Door, Washboard Sam (1940) / **Judge** give me life this morning down...
...man Farm Blues, Bukka White (1940) / I was sentenced for murder in the firs...
...bake the he got the first jellyroll in town. He's the only man can bake jellyrol...
...for murder in the first degree **Judge**'s wife call up and said : 'Let that man...
...jelly roll with his damper down'. *Jelly Roll Baker, Lonnie Johnson* (194...

Give me a break, don't make

me pay no fine. That judge

is bound now to lynch me

'cause I've been here so

many times. Donne-moi

ma chance,

me colle pas

d'amende. Ce

juge est bien

parti pour me

lyncher, faut

dire qu'il m'a

vu ici plus

souvent qu'à

mon tour.

I'm tired of this Jim Crow, gonna leave this Jim Crow town,

Doggone my black soul, I'm sweet Chicago bound, yes I'm

leavin' here, from this ol' Jim Crow town.

J'en peux plus de cette ville, Jim Crow par ici, Jim Crow par là. Je m'en vais à Chicago, ouais, je me casse de c'te foutue ville.

Me and Martha, we was standin' upstairs. I heard a white man say "I don't want **no niggers** up there".

Moi et Martha, on était en haut des escaliers et je l'ai entendu, ce Blanc qui a dit : "je veux pas de sales nègres par ici".

Well a white man live in a fine brick
house, He thinks it's nothing strange.
But we poor colored men live in the
county jail, But it's a brick house just
the same.

Un Blanc dans une belle

maison de briques, quoi

de plus normal. Nous

aussi, pauvres négros,

nous vivons dans une

maison de briques, c'est

la prison du comté.

125

Juste comme je jouais *Sweet Home Chicago*, voilà le shérif qui se pointe. Il me dit : "je t'embarque, comme ça t'auras pas besoin de taxi".

Je suis allé au bureau de placement et j'ai fait la queue. Ils ont appelé tout le monde sauf moi.

I went to an employment office, Got a number and I got in line They called everybody's number, but they never did call mine.

I'd rather be in Mississippi River, floatin' like a log,
Than to stay around here to be treated like a dog.

J'aimerais mieux flotter comme une bûche sur
le Mississippi, plutôt que d'être traité comme
un chien par ici.

They say we are the Lord's
children, I don't say that ain't true,
but if we all the same like each
other, hoo, well well, why they treat
me like they do.

Y disent que nous sommes tous les
fils de Dieu, je dis pas que c'est
pas la pure vérité, mais si nous
sommes tous pareils, oh oui alors,
pourquoi est-ce qu'ils me traitent
comme ça ?

128

Je regardais les petites annonces,
y avait un poulet dans les parages,
et il m'a coffré pour vagabondage.

I've pickin' up the newspaper and I lookin' in the ads, and the policeman came along and he arrested me for vag.

Never will forget that day when they taken my clothes,
taken my citizen's cloths and throw them away. I wonder
how long before I can change my clothes, I wonder how
long 'fore I can change my clothes.

J'oublierai
jamais,
quand ils
ont pris
mes
vêtements
civils et
qu'ils les
ont
balancés. Je
me
demande
dans
combien de
temps je
vais changer
d'fringues,
dans
combien de
temps je
vais changer
d'fringues.

Now some
got six
months,
some got a
solid year,
mmm. Now
old me and
my buddy,
got a
lifetime
here.

Certains s'en prennent pour six mois, d'autres pour un
an, mais moi et mon pote, on s'est pris perpète.

They buried a
man, Thursday,
just two short
days, you see,
and it makes me
wonder what
they're gonna do
to me.

Ils ont enterré un type, jeudi,
y'a à peine deux jours et je me
demande bien ce qu'ils vont me
faire à moi.

132

My mother told
me, "Son, you've
got to reap just
what you sow"
Now I'm behind
these high stone
walls, may never
see the streets
no more.

Ma mère m'avait prévenu : "Mon garçon, qui sème le vent récolte la
tempête". Maintenant, je suis entre quatre murs ; je reverrai peut-être
bien jamais les rues.

I don't want no black woman to fry / scared you might poison me. *You M[ight]* / *Davenport (1924)* / I would not marry a / Black man, he wasn't born for me, 'cause / Black is gone out of style. *Black Girl* / *Cow Davenport (1925)* / I don't want no / me. For black is evil, I'm scared she mi[ght] / *Weldon (1927)* / Brownskin women are / get myself a yellow gal, see what she w[ill] / *(1927)* / Want no jet black woman to b[...] / she sure might poison me. *Brownie[...]* / woman fry no meat for me, No / know black is evil, that gal may poison[...] / *(1929)* / Now the preacher told me that[...] / he do, plain black but I'm dark compl[...] / too. *Howlin Wolf Blues, J.T. Funny[...]* / woma[n] to b[e] your friend, I swear she'll[...] / face and grin. *Black And Evil Blues,[...]* / woman to put no sugar in my tea, Te[...] / poison me. *Black And Evil Blues, I shu[...]* / when I was a boy playin' mumble[...] / don't eat no black hen's egg. *Lord, S[...]*

i black is black noir man

meat for me 'cause black is evil, I'm

t Poison Me, Dora Carr and Cow Cow

lack man, I'll tell you the reason why.

lack man is gone out of style, I mean.

Then Just The Same, Dora Carr and Cow

lack woman, Lord, to cook no pot for

t poison me. Turpentine Blues, Casey Bill

Black women are evil too I'm gonna

Evil Woman Blues, Texas Alexander

no bread for me, yet black is evil and

es, Tarter and Gay (1928) / Coal black

woman can't fry no meat for me, You

e. Seven Sister Blues, Edward Thompson

od forgive a black man most anything

ored, look like He ought to forgive me

Smith (1935) / Don't trust no black

st treat you and she will stare up in your

White (1932) / I don't want no black

black is evil and I'm scared she might

te (1932) / And my mother she told me.

on't drink no black cow's milk, and

Me An Angel, Blind Willie McTell (1933

don't drink

no black

And my mother, she told me, when I was a boy playin' mumble-peg, "Don't drink no black cow's milk, and don't eat no black hen's egg".

cow's milk

and don't

Quand j'étais encore qu'un gamin qui jouait au *mumble-peg*, ma mère m'a dit : "bois pas le lait d'une vache noire et mange pas les œufs d'une poule noire".

eat no

136

black hen's

egg.

truckin'

keep on

my

truckin'

chasser

blues

mes blues

away

au loin

I'm goin' to Newport News, just to see Aunt Caroline Dye. She's a fortune tellin' woman, oh Lord, and she don't tell no lie.

Je m'en vais à Newport News, juste pour voir Tante Caroline Dye. Elle dit la bonne aventure, mon Dieu, pour sûr elle te raconte pas de salades.

Rockin', rockin' my blues away. Just rockin', **rockin' my blues away**. I'm gonna rock r
here wondering if that old Cannonball will pass my way, I wanna get on board and **ri**
uck time done come. Instead of bad luck fallin' on everybody, seem like I'm the onl
Walking My Troubles Away, Blind Boy Fuller (1936) / And he gave me some pills just to d
Blues, Jazz Gillum (1947) / Darlin', unveil your face, go on and **cry your blues away** You
Something Keeps A-Worryin' Me, Little Brother Montgomery (1936) / They're doin' it nigl
Blake (1927) / I got blue, blue, last me nine months from today, I'm gonna get my swe
ne to your hand Some day honey I'll become a lucky man I keep on drinkin', tryi
Drinkin', Bumble Bee Slim (1935) / Keep on truckin', mama, truckin' both night and da
1937) / She's got a cool disposition and she **drives my blues away**, Now when this wa
be with you in the mornin', I'll be with you just 'fore day, I'll be with you at midnight
ne, all I got is gone, Man you know well I rarely stay at home, but I keep on drinki
Arthur Big Boy Crudup (1952) / Well my baby told me she was goin' away, Lord I worr
keep on drinkin', **drive my blues away**. *Keep On Drinkin', Arthur Big Boy Crudup (1952)*
away. *Mama 'Tain't Long Fo' Dat, Blind Willie McTell (1927)* / I got up this mornin', put
Blind Blake (1926) / Mmm the sun goin' to shine, my back door some day, Oh the wind
a little sunshine'll **drive these blues away**. Nice to meet strangers, just to come and s
1929) / Now babe, I've been in trouble, forty-four nights and days but I've got anoth
blues will last me nine months from today. I'm goin' to get my sweet woman to **driv**
on this song both night and day Well I'm just a poor boy in trouble And I'm tryin' t
you see my smilin' face. So good-bye, baby, I'm goin' to another place. And that's wha
blues away. *That's What Worries Me, Jazz Gillum (1941)* / I'm gonna walk back to my wo
can walk away my blues. *Mama's Man Blues, Bert Mays (1927)* / Cryin', sun gonna shine
shine in my back door some day, And the wind gonna change, gonna **blow my blue**
blues away, I'm gonna yodel now, baby, till things come back my way. *Yola My Blues*
he can drive away my blues, *Sail On Black Sue, Stump Johnson (1932)* / Trouble's got me
Drinking Blues, Lucille Bogan (1934) / Oh doctor, doctor, tell me the time of day, All I wa
I don't drink because I'm dry, mama, I drink because I'm blue, No matter how I try
Well I just keep on drinkin', tryin' to **drive my blues away**. *Drinkin My Blues Away, T*
storm gonna come, gonna blow these worried blues away. *Throw Me Down, Unknow*
my blues away. *Sunshine Blues, Moanin' Bernice Edwards (1928)* / So blow, wind, blow,
Blues, Moanin' Bernice Edwards (1928) / I need loving every day, just to **drive my blues**
drive my blues away, Get the key to the distillery, hoo well, and stay right here all d
Seem like my whiskey won't drive me through. I just keep on drinkin', tryin' to **drive**
Trouble's got me thinkin', and I just can't keep from drinkin', and I'm tryin' to **driv**
Bessie Jackson (1934) / Now my heart is achin', and whiskey's all it's takin', just to **drive**
1934) / Well I had the blues at midnight, people, now his is what they're sayin' Hey
Blues, Peetie Wheatstraw (1934) / When I say I love you, bet your life it's true, I don't wa
Me With Attention, Peetie Wheatstraw (1941) / I was sittin' in my kitchen, it was on one rai
Bill Gaither (1941) / I ain't gonna tell nobody that I ain't drink no more, I don't feel welc
shine in my back door some day. *I Keep On Drinking, Bumble Bee Slim (1935)* / I ain't in
my blues away. *Steady Roll Mama Blues, Bumble Bee Slim (1935)* / Now you can tease me
blues away. *Tease Me Over Blues, Tony Hollins (1941)* / Well I'll cut your wood in the mo
Cross Cut Saw Blues, Tony Hollins (1941) / Rockin', rockin' my worries away, what's worry
rockin' my blues away, I'm gonna rock right here until the break of day. *Rockin' Myse*
he sunshine would **drive my blues away**. *Traveling Daddy, Charlie Nelson (1927)* / Let

ere till the break of day. *Rockin' My Blues Away, Washboard Sam (1942)* / I'm just standin
blues away. *Cannon Ball Blues, Lilian Glinn (1929)* / I've got the bad luck blues, my ba
I keep on walkin', tryin' to **walk my blues away.** I'm so glad trouble don't last alway
blues away He say 'You bad luckin' rascal, take them three times a day'. *Hand Reade*
I'm so glad trouble don't last alway. *Cry Your Blues Away, Arthur 'Big Boy' Crudup (194*
day, help you drive your blues away, doin' that rag, that Wabash rag. *Wabash Rag, Blin*
to **drive my blues away.** *Forty-Four Blues, Mae Glover (1931)* / Take me back baby, rais
drive my blues away Well that sun gonna shine in my backdoor someday. *I Keep O*
on truckin', mama, **truckin' my blues away.** *Truckin' My Blues Away, Blind Boy Fulle*
er, maybe I'll come home some day. *Cool Disposition, Arthur Big Boy Crudup (1944)* / I'
drive your blues away. *One Time Blues, Jazz Gillum (1939)* / Well my baby, she done le
I keep on drinkin', yes I keep on drinkin', **drink my blues away.** *Keep On Drinkin*
d she didn't have a word to say, But I keep on drinkin', yes, I keep on drinkin'. Yes
big star fallin', mama it ain't long 'fore day. Maybe a little sunshine'll **drive these blue**
walkin' shoes I'm goin' Back to Tampa just to **cure my lowdown blues.** *Tampa Boun*
rise and **blow my blues away.** The big star fallin', mama it ain't long 'fore day. Mayb
day, But that old timey rider **can drive your blues away.** *Old Time Rider, Clifford Gibso*
man now, drive my troubles all away. *Henry's Worry Blues, Henry Townsend (1929)* / M
blues away. *Number Forty-Four Blues, Lee Green (1929)* / Folks, if you hear me hummin
my blues away. *Worried Man Blues, Tampa Red (1929)* / It will be a long long time befor
ies me, yes, it worries me night and day. Yes I want that woman to come and **drive m**
if I have to walk out ninety-nine pair o' shoes, I'll buy me another pair on my way s
back door some day, Now don't you hear me talkin', pretty mama ? Cryin', sun gonn
Big Road Blues, Tommy Johnson (1928) / I'm gonna yodel now, yodel now, **yodel all m**
Skip James (1931) / Black Sue, Black Sue is the girl I choose, The reason I choose he
in', and I just can't keep from drinkin', and I'm tryin' to **drive my worried blues away**
good drink of whiskey to **drive my blues away.** *Oh! Doctor Blues, Lonnie Johnson (1926*
I can't get along with you. And I just keep on drinkin', drinkin' every night and day
Red (1935)* / It was dark and stormy and the stars shinin' bright like day Some day th
/ The sun's gonna shine in my back door some day, the wind's gonna come and **blow**
ow my blues away, 'cause I'm worried now, but I'll be happy some old day. *Sunshin*
Keep Your Mind On It, Casey Bill Weldon (1936) / There's nothing else could I do just t
le Street Sheik, Johnnie Temple (1937) / I'm a worried man today, no matters how I do
es away, That's all right, it'll be all right some day. *Blue Man Blues, Big Boy Know (1937*
orried blues away How I been worried each and every lonesome day. *Drinking Blues*
blues away And I stay drunk each and every worried day. *Drinking Blues, Bessie Jackson*
you need some sweet woman, hoo-hoo, well now, to drive your blues away. *Midnigh*
r money, what I want is you Just love me with attention, to **drive my blues away.** *Love*
I didn't have no one to love me, no one to **drive my blues away.** *Old Rainy Day Blues*
o place I go, But I keep on drinkin', tryin' to **drive my blues away.** Well the sun gonna
rry, mama and I didn't come here to stay, Well I just come here, baby, for you to **driv**
mornin', baby, tease me a little 'fore day, Tease me, tease me, mama, till you **tease m**
baby, cut your wood little 'fore day, cut your wood, mama, till I drive your blues away
now, worries me every day. *Rockin' Myself To Sleep, The Harlem Hamfats (1939)* / **Rockin**
ep, The Harlem Hamfats (1939) / Says, I had the blues at night, blues in the day, I think
you, baby, the human thing to do. Buy a quart o' whiskey and split it with you. Then

142

Sometime I get discouraged, I believe my work's in vain, but the Holy Spirit whispers and revive my mind again.

Des fois je suis abattu, je crois que je bosse pour rien. Mais l'Esprit Saint me parle à l'oreille et me ragaillardit.

Lord, I lost my papa and my dear mama too. Lord, I'm gonna quit
my bad way of livin' and visit the Sunday School.

143

J'ai perdu père et mère, Dieu, je vais arrêter toutes mes
embrouilles et aller à l'école du dimanche.

Folks if you hear me hummin' on this
song both night and day, well I'm just a
poor boy in trouble and I'm tryin' to
cry my blues away.
Les gars, si vous m'entendez chantonner
à toute heure du jour ou de la nuit,
c'est que je suis un pauv' gars dans la panade
qui chante pour chasser ses blues.

I'm just like a piano player, carry nothin' but my hat. I play women where I find 'em and I leave 'em where I played them at. Just old ramblin' Bill, just old ramblin' Bill.

Comme un pianiste, je charrie rien d'autre

que mon chapeau. Je joue aux dames où je

les trouve et je les largue où j'ai joué. Je suis

ce vieux vagabond d'Bill, juste ce vieux

vagabond d'Bill.

J'ai pas construit c'monde, mais, pour sûr, je peux le foutre en l'air.

I didn't build this world, but I sure can tear it down.

This world is not my home, I'm only passin' by, By travelin' on, my hope, I'll end up on high where many friends and my kindred have gone on before I just can't feel at home in this world anymore.

Je suis pas chez moi dans ce bas monde, je suis juste de passage. J'espère finir là-haut, où sont déjà mes amis et mes parents. Je suis pas chez moi dans ce bas monde.

I went home last night Found another man's hat hangin' on my door ;
that was enough to let poor Montana know He don't live here no more.

Hier soir, en rentrant à la maison, j'ai trouvé
le chapeau de quelqu'un d'autre accroché
à la porte. C'est là que ce pauvre Montana a
compris qu'il n'habiterait plus ici.

Lord, I wonder what's the matter, Lord, Papa Bill can't get no mail. Mean the Post Office must be on fire, and the mail man must be undoubtedly be in jail.

Dieu, Papa Bill n'a pas reçu d'lettres. Je me demande de quoi il retourne. Ou bien la poste est en flammes ou bien l'facteur au trou.

He built me a bungalow

right in the heart of town.

He bought me a Chrysler

Six, and had a chauffeur

drive me all around.

Il m'a construit une petite baraque en plein centre, il m'a payé une Chrysler Six et un chauffeur pour me balader.

There's old Jim with a cane and a crutch. The folks all say he boogie-woogie too much, too old to boogie-woogie. But everybody's doin' that boogie-woogie now.

V'là le vieux Jim avec sa canne et sa béquille.
À ce qu'il paraît, il danse trop le
boogie-woogie. Il est trop vieux pour le
boogie-woogie, et pourtant, tout le monde
danse le boogie-woogie.

153

I told you next time you go out, please carry your black dress 'long 'cause a coffin will be your present and hell will be your brand new home.

La prochaine fois que tu iras vadrouiller, mets tes habits de deuil, car un cercueil sera ton présent et l'Enfer ta toute nouvelle demeure.

I would rather be dead lyin' six feet in my grave, than to be with you up here honey, treated this-a-way.

J'aimerais mieux être six pieds sous terre que

d'être avec toi par ici, chérie, traité comme ça.

Some day I'll get lucky, I'm gonna make
Chicago my home I'm tired of stayin'
down South always treated wrong.

156   Un jour, ça roulera pour moi, je

m'installerai à Chicago. J'en ai marre

d'être maltraité dans le Sud.

I don't mind workin', captain form sun to sun. But I want
my money captain, when pay day come.

157   Je me fous de trimer du matin au soir,

              mais je veux mon fric, boss, quand c'est le jour de paye.

Ce que je veux,

c'est mon billet.

All I want is my

Montre-moi mon

ticket, please show

train par pitié, je

me my train I'm

vais le prendre

gonna ride, gonna

jusqu'à ce que je

ride 'til I can't hear

ne LES entende

THEM call my name.

plus m'appeler.

The sun gonna shine in my back door some, my back door some, I said day, The sun gon shine in my back door some day. I know my woman gonna come my way some day. *I'm Leav Town*, William Harris (1927) / Crying, sun gon' shine, Lord, my back door someday. Now, do you hear me talking, pretty mama ? Lord, sun gon' shine in my back door someday And t wind gon' change, blow my blues away. *Big Road Blues*, Tommy Johnson (1928) / Now the s gonna shine, my back door some day, my back door some day, sun gonna shine in my ba door some day. Say the wind gonna change, gonna blow my blues away. *Maggie Campbell Blu* Tommy Johnson (1928) / The sun's gonna shine in my back door someday. Some day I'll ha money and be up today like you. *Down And Out Blues*, Scrapper Blackwell (1928) / Hey, the s gonna shine in my back door some, my back door some, I mean today, The sun gonna shi in my back door some day. *Bullfrog Blues*, William Harris (1928) / Oh the sun's gonna shine my back door some day, I wished I had somebody to drive my blues away. *Back Door Blu* Scrapper Blackwell (1931) / Just sittin' here hungry, ain't got a dime. Looks like my frien would come to see me some time But it won't matter how it happens, the sun gonna shine my door some day. *The Sun Gonna Shine In My Door Someday*, Big Bill Broonzy (1935) / Take r back, baby, raise me to your hand Some day, honey, I'll become a lucky man, keep on drinki tryin' to drive my blues away. Well the sun gonna shine in my back door some day. *I Keep Drinking*, Bumble Bee Slim (1935) / Trouble in mind, I'm blue But I won't be blue alwa Cause the sun gonna shine in my backdoor some day. *Trouble In Mind*, Richard M. Jones (19

le soleil...

Sun gonna shine...

Boot And Shoes, Blind Boy Ful 1937) / Now the sun's gonna shine in my door some day And when you want your lit woman, Lord, she'll be too far away. *You Don't Mean me No Good*, Son Becky (1937) / Ther three trains ready but none ain't goin' my way, I said there's three trains ready but none ai goin' my way But the sun's gonna shine in my backdoor some day. *Freight Train Blues*, Tri Smith (1938) / Mmm the sun goin' to shine, my back door some day, Oh the wind gonna

Sun gonna shine in Le soleil va bien my back door some briller, un de ces day, Hey hey my back jours, sur ma porte door some day. And de derrière, le vent that wind's gonna va se lever et chasser rise and blow my tous mes ennuis. troubles away.

Légendes
photographies et textes de blues

[PAGE *2* :] Jack Delano, Greene County (Géorgie), mai 1941. The guitar player is the blues singer Eugene «Buddy» Moss (1914-1984) ; sentenced to prison in 1935, he was released in 1941.   [PAGE *3* :] Barbecue Bob, *Honey You Don't Know My Mind*, 1927.   [PAGE *15* :] Dorothea Lange, Sacramento (Californie), novembre 1936.   [PAGE *25* :] Walker Evans / Edwin Locke, Forrest City (Arkansas), février 1937.

SEQUENZA   [PAGE *29* :] Jack Delano, Heard County (Géorgie), mai 1941, détail. // Blind Boy Fuller, *Big Bed Blues*, 1936.   [PAGE *30* :] Marion Post Wolcott, Clarksdale (Mississippi), novembre 1939. // Jack Delano, Heard County (Géorgie), mai 1941. // Tampa Red, *Boogie Woogie Woman*, 1951.   [PAGE *31* :] Marion Post Wolcott, South Central Florida, février 1941. // Speckled Red, *Speckled Red's Blues*, 1930.   [PAGE *32-33* :] Russell Lee, Crowley (Louisiane), octobre 1938. National Rice festival. // [PAGE *33* :] Blind Blake, *Come On Boys, Let's Do That Messin' Around*, 1926.   [PAGE *34* :] Marion Post Wolcott, Memphis (Tennessee), novembre 1939. // Tampa Red, *Come on Mama, Do That Dance*, 1929.   [PAGE *35* :] Marion Post Wolcott, Belle Glade (Floride), juin 1940. // Tampa Red, *They Call It Boogie Woogie*, 1931.   [PAGE *36* :] John Collier, Newport (près de) (New Jersey), juillet 1942. // Mississippi Sheiks, *Hitting The Numbers*, 1934. // Marion Post Wolcott, Mileston (Mississippi), in the Delta area, octobre 1939. // Bo Carter, *Skin Ball Blues*, 1935.   [PAGE *37* :] John Collier, Newport (près de) (New Jersey), juillet 1942.   [PAGE *38* :] Russell Lee, Chicago (Illinois), avril 1941. // Slim Tarpley, *Alabama Hustler*, 1931.   [PAGE *39* :] Russell Lee, Merigold (près de) (Mississippi) in the Delta area, janvier 1939. The general store on the Sunflower plantation. // Furry Lewis, *I Will Turn Your Money Green*, 1928.   [PAGE *40* :] Gordon R. Parks, New York (Harlem), mai 1943. // Russell Lee, Chicago, Southside, (Illinois), avril 1941. // Slim Tarpley, *Alabama Hustler*, 1931.   [PAGE *41* :] Marion Post Wolcott, Clarksdale (Mississippi), novembre 1939. // Georgia Tom, *Second Hand Love*, 1930. // Frankie Jaxon (Tampa Red & His Hokum Jug Band), *Mama Don't Allow No Easy Riders Here*, 1929.   [PAGE *42* :] Dorothea Lange, Gordonton (Caroline du Nord), juillet 1939. // Kokomo Arnold, *Rocky Road Blues*, 1937.   [PAGE *43* :] Walker Evans, Vicksburg (Mississippi), mars 1936. // Charley Jordan, *Lost Ship Blues*, 1930.   [PAGE *44* :] Jack Delano, Onley (près de) (Virginie), juillet 1940. // Bo Carter, *Howling Tom Cat Blues*, 1931.   [PAGE *45* :] Jack Delano, (?). // Nellie Florence, *Jacksonville Blues*, 1928.   [PAGE *46* :] Dorothea Lange, Greene County (Géorgie), juillet 1937. An ex-slave and his wife. // Ed Bell, *Hambone Blues*, 1927.   [PAGE *4 7* :] Walker Evans (Alabama), été 1937. // Black Ace, *Black Ace*, 1937. // John Vachon, Placquemines Parish (Louisiane), juin 1943. // Peetie Wheatstraw, *Rolling Chair*, 1939.   [PAGE *48* :] Russell Lee, Transylvania (Louisiane), janvier 1939. // Robert Johnson, *Phonograph Blues*, 1936.   [PAGE *49* :] Russell Lee, Independence (près de) (Louisiane), avril 1939. // Peetie Wheatstraw, *School Days*, 1930.   [PAGE *50* :] Jack Delano, Atchison, Topeka and Santa Fe railroad train, mars 1943.   [PAGE *51* :] Jack Delano, Chicago (Illinois), décembre 1942. // Elzadie Robinson, *Baltimore Blues*, 1927.   [PAGE *52* :] Jack Delano, Sheffield (Alabama), août 1942. // Peetie Wheatstraw, *Chicago Mill Blues*, 1940.

1937.   [PAGE *88* :] Walker Evans, Atlanta (Géorgie), mars 1936.   [PAGE *89* :] John Collier, Childersburg (Alabama), mai 1942. // [PAGES *88-89* :] Blind Lemon Jefferson, *Deceitful Brownskin Blues*, 1927.   [PAGE *90* :] Marion Post Wolcott, Alexandria (Louisiane), décembre 1940. // Bessie Smith, *Put It Right Here (Or Keep It Out There)*, 1928. [PAGE *91* :] Marion Post Wolcott, Mileston (Mississippi), in the Delta area, octobre 1939. // Walker Evans, Greensboro (Alabama), été 1936.   [PAGE *92* :] Ben Shahn, Little Rock (Arkansas), octobre 1935. // Blind Lemon Jefferson, *That Crawlin' Baby Blues*, 1929.   [PAGE *93* :] Russell Lee, Chicago (Illinois), avril 1941.   [PAGE *94* :] Dorothea Lange (Mississippi), juillet 1936. Plantation store. // Roosevelt Sykes, *No Good Woman Blues*, 1930.   [PAGE *95* :] Marion Post Wolcott, Clarksdale (près de) (Mississippi), novembre 1939. Negroes gambling with their cotton money in a «juke joint». // Piano Kid Edwards, *Hard Luck Gamblin' Man*, 1930. // Marion Post Wolcott, South Central Florida, février 1941. // Tommy Johnson, *Canned Heat Blues*, 1928.   [PAGE *96* :] John Vachon, Norfolk (Virginie), mars 1941. // Barbecue Bob, *Goin' Up The Country*, 1928. // Ramblin' Thomas, *No Job Blues*, 1928.   [PAGE *97* :] Marion Post Wolcott, Memphis (Tennessee), octobre 1939. [PAGE *98* :] Dorothea Lange, Dupont (près de) (Géorgie), juillet 1937. // Lonnie Johnson, *Go Back To Your No Good Man*, 1932.   [PAGE *99* :] Gordon R. Parks, New York (Harlem), mai 1943. // Lonnie Johnson, *When You Fall For Someone That's Not Your Own*, 1928.

SEQUENZA   [PAGE *101* :] Marion Post Wolcott, Wendell (Caroline du Nord), novembre 1939. // [PAGES *100-101* :] Irene Scruggs, *Itching Heel*, 1930.   [PAGE *102* :] Jack Delano, Chicago, novembre 1942.   [PAGE *103* :] (?). // Blind Joe Reynolds, *Outside Woman Blues*, 1929.   [PAGE *104* :] Russell Lee, Houston (Texas), octobre 1939. // Tampa Red, *Cotton Seed Blues*, 1931.   [PAGE *105* :] Marion Post Wolcott, Mileston (Mississippi), in the Delta area, novembre 1939. // Marion Post Wolcott, Pertshire (Mississippi), in the Delta area, octobre 1939. // Walter Davis, *Katy Blues*, 1935.   [PAGE *106* :] Arthur Rothstein, Gee's Bend (Alabama), avril 1937. A descendant of a former slave. [PAGE *107* :] Jack Delano, (?).   [PAGES *106-107* :] Peetie Wheatstraw, *Lonesome Lonesome Blues*, 1935.   [PAGE *108* :] Marion Post Wolcott, Mileston (Mississippi), novembre 1940. Plantation in the Delta area. // Sleepy John Estes, *Drop Down (I Don't Feel Welcome Here)*, 1940. // Jack Delano, Chicago (Illinois), avril 1942. // Sleepy John Estes, *Brownsville Blues*, 1938.   [PAGE *109* :] Russell Lee, Chicago (Illinois), avril 1941. // Luke Jordan, *Pick Poor Robin Clean*, 1927.   [PAGE *110* :] Jack Delano, juillet 1940. // Bumble Bee Slim, *Meet Me In The Bottom*, 1936.   [PAGE *111* :] Dorothea Lange, (?). // Papa Charlie Jackson, *Drop That Sack*, 1925.   [PAGE *112* :] Marion Post Wolcott, Natchez (Mississippi), août 1940. // Big Bill Broonzy, *Just A Dream*, 1945.   [PAGE *113* :] Jack Delano, Belcross (Caroline du Nord), juillet 1940. // Hattie Burleson, *Sadie's Servant Room Blues*, 1928.   [PAGE *114* :] Russell Lee, Transylvania (Louisiane), janvier 1939. // Big Bill Broonzy, *When Will I Get To Be Called A Man ?*, 1955.   [PAGE *115* :] Jack Delano, Siloam (près de) (Géorgie), mai 1941. Alfred Parrott, a 91-year old ex-slave.   [PAGE *116* :] Memphis Jug Band (Will Shade), *He's In The Jailhouse Now*, 1930.   [PAGE *117* :] Marion Post Wolcott, Belle Glade (Floride), janvier 1939.

SEQUENZA   [PAGES *118-119* :] Kokomo Arnold, *Chain Gang Blues*, 1935. [PAGES *120-121* :] Jack Delano, Franklin (Géorgie), avril 1941. A jury section in the courtroom. // Dessa Foster et Howling Smith, *Tell It To The Judge*, 1931.   [PAGE *122* :] Marion Post Wolcott, Belzoni (Mississippi), in the Delta area, octobre 1939. // Cow Cow Davenport, *Jim Crow Blues*, 1927.   [PAGE *123* :] Edwin Rosskam, Chicago (Illinois), avril

1941. // Leadbelly, *The Bourgeois Blues*, 1939.   [PAGE *124* :] Marion Post Wolcott, Belzoni (Mississippi), octobre 1939. // Jim Jackson, *Going 'round The Mountain*, 1928.

[PAGE *125* :] Ben Shahn, Morgantown (Virginie Ouest), octobre 1935. // Ardell Bragg, *Bird Nest Bound*, 1926.   [PAGE *126* :] Dorothea Lange, Memphis (Tennessee), juin 1938. // Big Bill Broonzy, *Black, Brown and White*, 1951.   [PAGE *127* :] Esther Bubley, Memphis (Tennessee), septembre 1943. // Madlyn Davis, *Too Black Bad*, 1928.   [PAGE *128* :] Russell Lee, Oklahoma City (Oklahoma), juillet 1939. // Peetie Wheatstraw, *The Good Lawd's Children*, 1941.   [PAGE *129* :] Marjory Collins, New York, septembre 1942. // Ramblin' Thomas, *No Job Blues*, 1928.   [PAGES *130-131* :] Jack Delano, Greene County (Géorgie), juin 1941.   [PAGE *131* :] Bukka White, *When Can I Change My Clothes*, 1940. // Joe McCoy [Kansas Joe], *Joliet Bound*, 1932.   [PAGES *132-133* :] Jack Delano, Greene County (Géorgie), mai 1941.   [PAGE *132* :] Blind Blake, *Rope Stretchin' Blues Part I*, 1931. // Bill Gaither, *Sing Sing Blues*, 1939.

SEQUENZA   [PAGES *136-137* :] Russell Lee, Southside Chicago, avril 1942. // [PAGE *136* :] Blind Willie McTell, *Lord, Send Me An Angel*, 1933.

SEQUENZA   [PAGE *138* :] Blind Boy Fuller, *Truckin' My Blues Away*, 1937.   [PAGE *139* :] Russell Lee, Opelousas (Louisiane), octobre 1938. // Memphis Jug Band (Vol Stevens), *Aunt Caroline Dyer Blues*, 1930.   [PAGE *142* :] Jack Delano, Greene County (Géorgie), juin 1941. // Charley Patton, *Lord I'm Discouraged*, 1929.   [PAGE *143* :] Edwin Rosskam, New York, décembre 1941. Entrance to one of Father Divine's «Heavens» on the east side. // Sleepy John Estes, *Street Car Blues*, 1930.   [PAGE *144* :] Russell Lee, New Iberia (près de) (Louisiane), octobre 1938. // Tampa Red, *Worried Man Blues*, 1929.   [PAGE *145* :] Russell Lee, Mt Vernon (Indiana). // Big Bill Broonzy, *Rambling Bill*, 1947.   [PAGE *146* :] Marion Post Wolcott, Alabama. // Pleasant Joe, *Saw Mill Man Blues*, 1945.   [PAGE *147* :] Jack Delano, Siloam (près de) (Géorgie), mai 1940.   [PAGE *148* :] Jessie Mae Hill, *This World Is Not My Home*, 1927.   [PAGE *149* :] Dorothea Lange, Greene County (Géorgie), 1937.   [PAGE *150* :] John Vachon, Gadsen (Alabama), décembre 1940. // Montana Taylor, *Rotten Break Blues*, 1946.   [PAGE *151* :] Jack Delano, (?). // Big Bill Broonzy, *Big Bill Blues*, 1928.   [PAGE *152* :] Arthur Rothstein, Winterhaven (Floride), janvier 1937. // Mary Butler, *Bungalow Blues*, 1928.   [PAGE *153* :] Marion Post Wolcott, Natchitoches (Louisiane), juin 1940. // Tampa Red, *They Call It Boogie Woogie*, 1931.   [PAGE *154* :] Jack Delano, Heard County (Géorgie), mai 1941. // Lonnie Johnson, *She's Making Whoopee In Hell Tonight*, 1930.   [PAGE *155* :] John Vachon, South Chicago, juillet 1941. // Skip James, *Cypress Grove Blues*, 1931.   [PAGE *156* :] Jack Delano, Durham (Caroline du Nord), mai 1940. // Big Boy Crudup, *Chicago Blues*, 1946.   [PAGE *157* :] Dorothea Lange, Clarksdale (près de) (Mississippi), juin 1936. // Tom Dickson, *Labor Blues*, 1928.   [PAGE *158* :] Brownie McGhee, *Grievin' Hearted Blues*, 1959.   [PAGE *159* :] Russell Lee, Morgan City (Louisiane), octobre 1938.

SEQUENZA   [PAGE *161* :] Jack Delano, White Plains (près de) (Géorgie), mai 1941.

[PAGES *162-163* :] Jack Delano, Parks Ferry Road, Greene County (Géorgie), mai 1941. The wife of Henry Brooks, an ex-slave.   [PAGE *164* :] Blind Boy Fuller, *Boots and Shoes*, 1937.

Photographes

BUBLEY, Esther [1921] : elle s'intéresse très tôt à la photographie et étudie à l'école d'art de Minneapolis. En 1940, elle s'installe sur la côte est, travaille pour *Vogue*, puis, en 1941, est embauchée aux archives nationales à Washington où Roy Stryker la remarque et l'intègre dans l'équipe comme technicienne de laboratoire. Elle l'accompagne dans ses travaux à la Standard Oil puis travaille pour *Life* jusqu'à l'arrêt de sa publication en 1972 ; elle poursuivra sa carrière en indépendante. *[page 127]*

COLLIER, John [1913] : il débute une carrière de peintre avant de rejoindre l'équipe de Roy Stryker de 1940 à 1943. Il travaille ensuite comme photographe pour quelques entreprises industrielles et plusieurs magazines (*Photography*, *Fortune*), collabore avec des universitaires en matière d'utilisation de la photographie en anthropologie (Otovalenos d'Équateur, Navajos, Pueblos) avant d'enseigner lui-même à l'université à partir de 1960. *[pages 36, 37, 89]*

COLLINS, Marjory [1912-1985]. *[page 129]*

DELANO, Jack [1914-1997] : né à Kiev, Jack Ovcharov émigre avec sa famille aux États-Unis en 1923 où il étudie la musique puis la peinture et le dessin. En 1938, il réalise son premier travail photographique consacré aux mines de charbon de Pennsylvanie. Il collabore à la FSA et à l'Office of War Information entre 1940 et 1943. Un premier travail sur Porto Rico lui vaut d'être incorporé dans une unité cinématographique de l'armée ; après sa démobilisation, il rejoint Porto Rico où il devient directeur des programmes d'éducation de la télévision de 1957 à 1969. Il travaille ensuite en indépendant dans la photo, le cinéma, le graphisme et l'édition. *[pages 2, 29, 30, 44, 45, 50, 51, 52, 58, 59, 61, 63, 65, 66, 72-73, 81, 83, 84, 102, 107, 108, 110, 113, 115, 120-121, 130-131, 132-133, 142, 147, 151, 154, 156, 161, 162-163]*

EVANS, Walker [1903-1975] : né à Saint Louis (Missouri) ; après des études de littérature, il se lance dans la photographie à Paris où il est étudiant en 1926 et 1927. De retour aux États-Unis, il s'installe en indépendant, travaille sur l'habitat et l'architecture et illustre plusieurs livres. En 1931, en pleine dépression, il tente de sensibiliser l'opinion aux conditions de vie des chômeurs et, bien qu'il méprise Roy Stryker, rejoint quatre ans plus tard la FSA. En 1941, il édite avec James Agee le célèbre *Let Us Now Praise Famous Men*. Il travaille ensuite à *Time*, puis à *Fortune* (1945-1965) dont il devient rédacteur et seul photographe permanent ; à partir de 1964, il devient professeur d'arts graphiques à l'université de Yale. *[pages 25, 43, 47, 67, 68, 70, 71, 80, 85, 88, 91]*

LANGE, Dorothea [1895-1965] : née dans le New Jersey, elle étudie la photographie à l'université de Columbia à New York avant de devenir indépendante à partir de 1919 en Californie ; avec la Dépression, elle consacre son travail aux chômeurs et aux vagabonds, et ses photos attirent l'attention de Stryker qui l'engage comme correspondante de la FSA pour la côte Ouest. Elle travaille ensuite pour les ministères de l'Agriculture et des Affaires étrangères, collabore à *Time* et effectue au début des années soixante plusieurs reportages en Amérique du Sud, en Égypte et au Moyen-Orient. *[pages 15, 42, 46, 53, 54, 60, 75, 76-77, 79, 82, 94, 98, 111, 126, 149, 157]*

LEE, Russell [1903-1986] : il fait des études de chimie avant de travailler brièvement dans l'industrie qu'il abandonne au profit de la peinture. En 1936, il rejoint Roy Stryker à la FSA avant d'intégrer, en 1942, une unité photographique de l'armée de l'air, puis le service fédéral des mines. Jusqu'à sa retraite en 1980, il travaille pour différents projets industriels ou sociaux, collabore avec des magazines, devient instructeur de l'université du Missouri puis de l'université du Texas à Austin. *[pages 32, 38, 39, 40, 48, 49, 62, 66, 67, 84, 86, 87, 93, 104, 109, 114, 128, 136-137, 139, 144, 145, 159]*

LOCKE, Edwin : il participe avec Walker Evans à la couverture photographique des inondations de l'Arkansas et du Tennessee en février 1937 ; la paternité des clichés pris à cette occasion n'a jamais pu être établie avec certitude. *[pages 25, 69, 70, 71]*

PARKS, Gordon R. [1912] : il joue de la musique, écrit et s'intéresse à la photographie dès 15 ans. Il exerce différents métiers — pianiste, joueur professionnel de basket-ball — avant de se lancer dans la photographie en indépendant à partir de 1937. Il rejoint la FSA en 1942, puis l'année suivante l'Office of War Information. En 1945, toujours avec Roy Stryker, il travaille comme photographe à la Standard Oil, avant de collaborer durant 13 ans à *Life*, produisant notamment des reportages sur les gangs de Harlem ou les militants noirs. À partir de 1962, il travaille en indépendant. *[pages 40, 99]*

POST WOLCOTT, Marion [1910-1990] : née dans le New Jersey, elle vit une histoire d'amour avec l'homme de service (noir) de la famille et s'intéressera tout au long de sa vie à la communauté noire qu'elle photographiera dans les *juke joints* du Sud. Après avoir exercé comme enseignante, elle étudie la danse à Paris en 1932, puis la psychologie enfantine à Vienne. C'est là que la photographe Trude Fleischman l'incite à se lancer ; confrontée à la montée du nazisme, elle retourne aux États-Unis en 1935 où elle enseigne à nouveau, tout en militant contre la guerre et le fascisme. Elle étudie la photographie avec Ralph Steiner, entre à l'*Associated Press*, puis travaille pour *Life* et *Fortune* avant de poursuivre en indépendante. Introduite auprès de Roy Stryker par Steiner, elle se joint à l'équipe de la FSA. En 1941, elle épouse Lee Wolcott qui travaille dans les services diplomatiques ; elle a ainsi l'occasion d'exercer son art tout autour du globe : Iran, Afghanistan, Inde, Pakistan, mais aussi aux États-Unis, fixant sur la pellicule les enfants indiens du Nouveau-Mexique ou la contre-culture en Californie où elle s'installe en 1968. *[pages 30, 31, 34, 35, 36, 41, 55, 63, 74, 78, 90, 91, 95, 97, 101, 105, 108, 112, 117, 122, 124, 146, 153]*

ROSSKAM, Edwin : élève de l'école d'art de Philadelphie, peintre, il s'installe à Paris avant de suivre les traces de Gauguin à la Martinique puis à Tahiti. De retour aux États-Unis, il se lance dans la photographie, publie en 1939 plusieurs ouvrages dont certains consacrés aux minorités (*As Long As The Grass Shall Grow*, 1941), s'intéresse aux Américains d'origine, les Indiens, et aux Noirs américains (*Twelve Million Black Voices*, 1941) ; c'est Richard Wright qui signe le texte de ce livre coordonné par Rosskam et auquel la presque totalité de l'équipe constituée par Stryker apporte sa contribution. Il suit, avec sa femme Louise, elle-même photographe, Roy Stryker dans le projet Standard Oil. Ils passeront ainsi beaucoup de temps sur les bateaux du Mississippi, photographiant la vie quotidienne des équipages. Ce projet sera couronné par la sortie d'un ouvrage, *Towboat River*, une « collaboration entre les auteurs et le peuple de la rivière ». Ils s'installent ensuite à Porto Rico, où ils travaillent sur des projets à caractère social. *[pages 123, 143]*

ROTHSTEIN, Arthur [1915-1986] : né à New York, il étudie à l'université de Columbia avec Roy Stryker qu'il suit à la FSA de 1935 à 1940. Entre 1941 et 1943, il collabore à l'Office of War Information tout en travaillant pour le magazine *Look* comme photographe d'abord, puis comme directeur de la photographie, poste qu'il occupera jusqu'en 1971. Il est ensuite éditeur chez *Infinity* puis directeur de la photo pour le magazine *Parade*. *[pages 106, 152]*

SHAHN, Ben [1898-1969] : né en Suède, il émigre avec sa famille aux États-Unis en 1906. Il étudie la lithographie, la peinture puis la biologie avant de s'installer comme peintre en 1925. Il devient photographe indépendant à compter de 1928 et rejoint l'équipe de Stryker en 1935. Il poursuivra ensuite une activité de peintre, dessinateur mais aussi photographe. *[pages 61, 92, 125]*

STRYKER, Roy Emerson [1893-1975] : né dans le Kansas, il émigre avec sa famille dans le Colorado où son père, fermier et populiste, lui instille un grand respect pour la terre et les hommes qui la travaillent. Diplômé d'économie à l'université de Columbia, il coécrit avec Rexford Tugwell *American Economic Life*, ouvrage qui utilise abondamment la photographie. Nommé à la direction de l'*Historical Section* de la FSA en 1935, Roy Stryker va s'employer à attirer les meilleurs photographes du pays. En 1943, le Congrès décide de la fin des aides fédérales aux fermiers et la section historique est rattachée à l'Office of War Information, avant de disparaître ; s'étant assuré que l'ensemble des photographies étaient en sécurité à la bibliothèque du Congrès (une partie des adversaires du projet souhaitaient leur destruction), Roy Stryker rejoint la Standard Oil of New Jersey où, entre 1943 et 1950, il va diriger la plus grande entreprise privée de documentation (67 000 photographies) jamais réalisée aux États-Unis. Plusieurs des photographes de son équipe de l'*Historical Section* l'accompagnèrent dans cette entreprise : Esther Bubley, Russell Lee, Gordon Parks, Louise et Edwin Rosskam et John Vachon.

VACHON, John [1914-1975] : il étudie la littérature avant de rencontrer Roy Stryker et de s'initier à la photographie avec Ben Shahn. Il intègre la FSA en 1937, accompagne Roy Stryker à l'Office of War Information (1942-1943), puis travaille pour la Standard Oil, *Look Magazine* avant d'enseigner brièvement la photographie à Minneapolis en 1974. *[pages 47, 96, 150, 155]*

Blues Singers

ARNOLD, Kokomo [James] (voc, g) [Géorgie, 1901-1968] : guitariste gaucher jouant avec son instrument à plat sur les genoux, adepte du *slide*, très influencé par les guitaristes hawaïens ; il connut une forte notoriété (plus d'une centaine de titres enregistrés) entre 1934 et 1938. Il fut manœuvre dans une aciérie, pêcheur, mena un temps une vie errante ; il fut également bouilleur de cru clandestin durant la prohibition. *[pages 42, 67, 78, 118-119]*

BAILEY, Kid (voc, g) [Mississippi, ?- prob. mort dans les années soixante] : s'exprimant dans le style de Charley Patton et Willie Brown, Kid Bailey enregistre deux titres au Peabody Hotel de Memphis en 1929. *[page 75]*

BAKER, Willie (voc, g) [prob. Géorgie] : enregistre une quinzaine de titres en 1929 à Richmond (Indiana). *[page 84]*

BARBECUE BOB [Robert Hicks] (voc, g) [Géorgie, 1902-1931] : enregistre une soixantaine de titres sous son nom ou comme membre des *Georgia Cotton Pickers* entre 1927 et 1930. Il reste l'un des principaux représentants du blues d'Atlanta. *[pages 3, 96]*

BELL, Ed [Edward] (voc, g) [Alabama, 1905-1965] : enregistre dix titres entre 1927 et 1930 à Chicago et Atlanta dont huit sous le pseudonyme de *Slue Foot Joe* ; huit autres, sous celui de *Barefoot Bill*, lui sont également crédités. Il serait mort pendant l'une des marches pour les droits civils. *[page 46]*

BLACK ACE [Babe Kyro Lemon Turner] (voc, g) [Texas, 1907-1972] : l'"As Noir" enregistre huit titres entre 1936 et 1937, abandonne la musique après la guerre avant d'être redécouvert dans les années soixante où il enregistre à nouveau. *[page 47]*

BLAKE, Blind [Arthur] [Arthur Blake ou Arthur Phelps] (voc, g) [prob. Floride, ca. 1895-1932] : guitariste et chanteur aveugle dont on ne connaît que peu de choses, bien qu'entre 1926 et 1932, il ait connu une grande popularité, enregistrant environ quatre-vingts titres. Son vrai nom est-il Arthur Blake ou Arthur Phelps ? Est-il originaire de Floride ou des Caraïbes ? Est-il né aux alentours de 1890 ou plus tard vers 1895 ? Quand, où et dans quelles circonstances est-il mort ? Autant de questions qui restent ouvertes. Les seules certitudes le concernant sont sa virtuosité et son impact sur nombre des bluesmen de la côte Est, tels Gary Davis, Blind Boy Fuller, Buddy Moss ou John Jackson ; il est généralement considéré comme le père du style ragtime. Il semble avoir mené dans les années dix une vie errante, seul ou comme membre de *medicine shows*. *[pages 33, 61, 81, 132]*

BRAGG, Ardell (vo) : enregistre huit titres à Chicago en 1926 et 1927. *[page 125]*

BROONZY, Big Bill [William Lee Conley Broonzy] (voc, g) [Mississippi, 1893 ou 1898-1958] : Big Bill Broonzy débute comme travailleur de la terre, puis occupe divers emplois, à la compagnie Pullman, comme garçon d'épicerie, dans une fonderie. Il est l'un des premiers à avoir exporté le blues en dehors de la communauté noire (concert à Carnegie Hall dès 1938, première tournée en Europe en 1951). Il rencontre un vif succès, enregistre plus de deux cents titres sous son nom et accompagne une multitude de chanteurs et de chanteuses de blues. Il apprend à écrire en 1950 alors qu'il est concierge à l'université d'Iowa et publie une intéressante autobiographie, *Big Bill Blues* [Bruxelles, 1955 ; New York, Oak, 1964 ; Paris, Ludd, 1987], compilée à partir des lettres qu'il adresse au belge Yannick Bruynoghe. *[pages 112, 114, 126, 145, 151]*

BROWN, Willie (voc, g) [Mississippi, 1900-1952] : Willie Brown enregistre quatre titres à Grafton (Wisconsin), en 1930. *[page 74]*

BUMBLE BEE SLIM [Amos Easton] (voc, g) [Géorgie, 1905-1968] : Slim le Bourdon mène pendant presque dix ans une vie errante avant de s'installer d'abord à Indianapolis puis à Chicago. Il enregistre plus de deux cents titres entre 1931 et 1937 et bénéficie du *blues revival* qui lui permet d'entamer une seconde carrière et d'enregistrer un album en 1962. *[page 110]*

BURLESON, Hattie (vo) : bien qu'elle n'ait enregistré que deux sessions et sept titres entre 1928 et 1930, Hattie Burleson est une figure de la scène du blues de Dallas (Texas), en tant que manager d'une troupe de chanteurs, danseurs et musiciens, d'une salle de danse et d'un show itinérant qui tourna dans tous les états du South West jusque dans les années cinquante. *[page 113]*

BUTLER, Mary [Rosa Mae Moore] (vo) : enregistre huit titres en 1928 à Memphis et à La Nouvelle-Orléans. *[page 152]*

CHATMAN, Bo [Bo Carter] (voc, g) [Mississippi, 1893-1964] : agriculteur, chauffeur, il enregistre à partir de 1928 plus de cent trente titres et participe avec ses frères aux *Mississippi Sheiks* avec lesquels il enregistre de 1930 à 1935 et obtient un succès mémorable avec *Sittin' On Top Of The World*. *[pages 36, 44]*

CRUDUP, Big Boy [Arthur William] (voc, g) [Mississippi, 1905-1974] : il est l'une des figures importantes du blues des années quarante et cinquante, enregistrant environ quatre-vingts titres entre 1941 et 1954 dont deux, *That's All Right* et *My Baby Left Me*, furent repris par le jeune Elvis Presley. Il démarre une seconde carrière à l'occasion du *blues revival* des années soixante (enregistrements, tournée en Europe). *[page 156]*

DAVENPORT, Cow Cow [Charles] (voc, p) [Alabama, 1894-1955] : enregistre près de quarante titres entre 1925 et 1938, puis quelques-uns en 1945 et 1946. *[page 122]*

DAVIS, Madlyn (vo) : enregistre dix titres à Chicago en 1927 et 1928. *[page 127]*

DAVIS, Walter (voc, p) [Mississippi, 1912-1963] : l'un des blues singers les plus populaires des années trente avec près de cent soixante titres enregistrés. Il abandonne la musique après la guerre pour devenir preacher. *[page 105]*

DICKSON, Tom (voc, g) : enregistre six titres à Memphis en 1928. *[page 157]*

EDWARDS, Piano Kid (voc, p) : enregistre quatre titres à Grafton (Wisconsin) en 1930. *[page 95]*

ESTES, Sleepy John [Adams] (voc, g) [Tennessee, 1899-1977] : enregistre cinquante-trois titres entre 1929 et 1941 puis épisodiquement en 1948 et 1952, avant de faire une carrière pour le public blanc à partir de 1962. *[pages 108, 143]*

FLORENCE, Nellie (vo) : enregistre deux titres à Atlanta en 1928. *[page 45]*

FOSTER, Dessa (vo) : enregistre deux titres en 1931 accompagnée par JT "Funny Paper" Smith [Howling Smith]. *[pages 120-121]*

FULLER, Blind Boy [Fulton Allen] [Caroline du Nord, ca. 1908-1941] : il mène une vie de musicien de rue et enregistre plus de cent trente titres entre 1935 et 1940, connaissant alors une grande notoriété. C'est une des figures importantes du blues des années trente. *[pages 29, 138, 164]*

GAITHER, Little Bill (voc, g) [Kentucky, ca. 1910-1970] : Little Bill Gaither enregistre cent vingt titres entre 1931 et 1941. *[pages 60, 132]*

GEORGIA TOM [Thomas A. Dorsey] (voc, p) [Georgia, 1899-1993] : Georgia Tom grave cinquante-trois titres sous son nom entre 1928 et 1934 ainsi que d'innombrables avec Tampa Red, Big Bill Broonzy, Memphis Minnie, Victoria Spivey, Jane Lucas, Hannah May, Jim Jackson et surtout au sein des Hokum Boys ou des Famous Hokum Boys. Mais il reste dans les mémoires comme fondateur du gospel moderne, idiome auquel il se consacra sa vie durant, à compter de 1932. *[pages 41, 72-73]*

HARRIS, William (voc, g) [Mississippi, ca. 1900- ?] : enregistre une quinzaine de titres en 1927 et 1928. *[page 84]*

HILL, Jessie Mae (vo) : enregistre six spirituals à Chicago en 1927. *[page 148]*

JACKSON, Papa Charlie (voc, bjo) [Louisiane, ca. 1885-1938] : natif de La Nouvelle-Orléans, ce banjoïste est l'un des premiers bluesmen enregistrés (près de quatre-vingts titres entre 1924 et 1935). *[page 111]*

JACKSON, Jim (voc, g) [Mississippi, 1890-1937] : figure des *minstrels shows*, Jim Jackson enregistre plus de quarante titres entre 1927 et 1930. *[page 124]*

JAMES, Skip [Nehemiah Curtis James] (voc, g) [Mississippi, 1902-1969] : après avoir enregistré dix-sept titres en 1931, Skip James se consacre à la religion et devient preacher en 1942. Retrouvé dans un hôpital du Mississippi, par Henry Vestine de Canned Heat, Skip James reprend une activité musicale qui l'amène sur les plus grandes scènes américaines et européennes. Il grave durant cette période quelques albums restant comme les plus beaux du *country blues*. *[page 155]*

JAXON, Frankie "Half Pint" (vo) [1895- ?] : entré dans le show business à quinze ans, il exerce ses talents de chanteur, danseur, imitateur et acteur dans des shows ambulants. Il enregistre plus de soixante titres entre 1927 et 1940 dont certains au sein du *Hokum Jug Band* de Tampa Red. Il enregistre également du gospel au sein des *Cotton Top Mountain Sanctified Singers* en 1929. On perd sa trace en 1944. *[page 41]*

JEFFERSON, Blind Lemon (voc, g) [Texas, 1897-1929] : l'un des premiers et des plus influents bluesmen ; il grave une centaine de titres entre 1926 et sa mort en 1929. Il mène une vie errante jusqu'à ses premiers enregistrements qui firent de lui l'une des premières vedettes de la musique noire. *[pages 64, 88-89, 92]*

JOHNSON, Lonnie [Alonzo Johnson] (voc, g) [Louisiane, 1894-1970] : ce natif de La Nouvelle-Orléans reste l'un des plus prolifiques bluesmen enregistrés (environ quatre cent cinquante titres entre 1925 et 1967). Il accompagne une multitude de chanteurs ou chanteuses dont Texas Alexander ou Victoria Spivey, joue avec Duke Ellington, Louis Armstrong, King Oliver ou les McKinneys Cotton Pickers. Malgré son succès, il garda longtemps du travail en dehors de la musique. *[pages 63, 68, 69, 98, 99, 154]*

JOHNSON, Robert [Leroy] (voc, g) [Mississippi, 1911-1938] : vingt-neuf titres enregistrés en quatre sessions entre le 23 novembre 1936 et le 20 juin 1937 font de cet ouvrier agricole, qui mena une vie errante la majeure partie de sa courte existence, la figure mythique du blues par excellence : il est le héros d'un film ainsi que de plusieurs romans et l'Amérique lui a consacré un timbre. Pourtant, seul son premier disque, *Terraplane Blues*, connut un certain succès et sa famille et ses proches ne furent informés de ses enregistrements que plus de vingt ans après, lorsque les chercheurs Dean Gayle Wardlow et Mack McCormick vinrent les interviewer. La légende veut qu'il ait vendu son âme au diable. Il eut une influence déterminante sur Elmore James ou Muddy Waters. *[page 48]*

JOHNSON, Stovepipe (vo) : enregistre quatre titres à Chicago en 1928 dont un avec les jazzmen Jimmy Noone et Earl Hines. *[page 67]*

JOHNSON, Tommy (voc, g) [Mississippi, ca. 1896-1956] : l'une des figures mythiques du blues du Delta bien qu'il n'ait enregistré que quatorze titres entre 1928 et 1930. *[page 95]*

JOHNSON, Blind Willie (voc, g) [Texas, ca. 1902-ca. 1949] : reste le plus grand des *sanctified singers*. Il enregistre trente spirituals entre 1927 et 1930. *[page 66]*

JORDAN, Charley (voc, g) [Arkansas, ca. 1890-1954] : Charley Jordan est l'une des figures du blues de Saint Louis ; ses activités de bouilleur de cru durant la prohibition lui valurent d'être blessé par balle. Il enregistre près de soixante titres entre 1930 et 1937. *[pages 43, 83]*

JORDAN, Luke (voc, g) [Virginie, ca. 1890-1945] : enregistre dix titres entre 1927 et 1929. *[page 109]*

KYLE, Charlie (voc, g) : enregistre six titres à Memphis en 1928. *[page 59]*

LEADBELLY [Hudson Ledbetter] (voc, g) [Louisiane, 1889-1949] : après avoir côtoyé Blind Lemon Jefferson et s'être produit dans les quartiers chauds de Shreveport ou Dallas, "Ventre de Plomb" est incarcéré à Angola pour meurtre, puis à nouveau pour tentative de meurtre. Il est découvert dans le pénitencier de Louisiane par John A. Lomax en 1934 qui l'enregistre abondamment pour la Bibliothèque du Congrès (plus de la moitié des quelque deux cent soixante-dix titres enregistrés entre 1934 et 1942). Après sa libération, il devient chauffeur et assistant de son protecteur et se produit à New York auprès d'un public progressiste blanc, amateur de *folk music*. *[page 123]*

LEWIS, Furry [Walter] (voc, g) [Mississippi, 1893-1981] : musicien de rue à Memphis et de *medicine shows*, il mène une vie errante et perd une jambe en tentant de prendre un train de marchandises en marche. Il devient alors balayeur à Memphis tout en se produisant. Il enregistre vingt-trois titres en 1927 et 1928 et, en 1959, est l'un des tout premiers bluesmen redécouverts lors du *blues revival* ; il enregistre alors plusieurs albums à destination du public blanc. *[page 39]*

LIPSCOMB, Mance (voc, g) [Texas, 1895-1976] : découvert en 1959 par les ethnomusicologues Mack McCormick et Paul Oliver, ce fermier de Navasota est brutalement propulsé sur les scènes des plus grands festivals. Il enregistre plusieurs albums et dicte à Glen Alyn son autobiographie, *I Say Me For A Parable* [New York, Da Capo, 1994]. *[page 53]*

McCoY, Wilbur [Kansas Joe] (voc, g) [Mississippi, 1905-1950] : enregistre près de quatre-vingts titres sous son nom ou sous divers pseudonymes entre 1929 et 1942, d'autres avec les Harlem Hamfats (environ soixante-dix titres entre 1936 et 1939) et comme accompagnateur de sa femme, Memphis Minnie. *[page 131]*

McGHEE, Brownie [Walter Brown McGhee] (voc, g) [Tennessee, 1915-1996] : débutant dans des *medicine shows* dès la fin des années vingt, Brownie McGhee rencontre Sonny Terry en 1939 avec lequel il forme un duo qui se produira jusque dans les années quatre-vingt. Il fait partie, avec Leadbelly, des quelques bluesmen qui profitèrent de la vogue des musiques folkloriques auprès de Blancs progressistes à New York. Il enregistre quarante-quatre titres entre 1940 et 1942 et, profitant du *blues revival*, plusieurs centaines à partir de 1944 ; il a fait de nombreuses tournées à l'étranger. *[page 158]*

McTELL, Blind Willie (voc, g) [Géorgie, 1901-1959] : musicien de rue éclectique ayant enregistré environ cent quarante titres entre 1927 et 1956. *[pages 62, 76-77, 136]*

MAY, Hannah (vo) : enregistre une dizaine de titres avec Big Bill Broonzy et Georgia Tom en 1930. Sous ce pseudonyme, se cache peut être l'une des sœurs Spivey. *[pages 72-73]*

MEMPHIS JUG BAND : animé par le guitariste et chanteur Will Shade (1898-1966), c'est probablement le plus populaire des *jug bands*, enregistrant près de quatre-vingts titres entre 1927 et 1934. *[pages 116, 139]*

MEMPHIS MINNIE [Lizzie Douglas] (voc, g) [Louisiane, 1894, 1896 ou 1900-1973] : guitariste et chanteuse, enfuie de chez elle à l'âge de 13 ans, mariée successivement à trois guitaristes et chanteurs, Casey Bill Weldon, Joe McCoy et Ernest Lawlars (alias Little Son Joe), c'est l'une des grandes figures du blues, enregistrant plus de deux cent dix titres sous son nom entre 1929 et 1954. *[pages 86-87]*

MISSISSIPPI SHEIKS : groupe composé des frères Chatman (Bo Chatman, alias Bo Carter, Sam et Lonnie) et du guitariste et chanteur Walter Vincson ; cet orchestre enregistre une centaine de titres entre 1930 et 1935. *[page 36]*

PATTON, Charley (voc, g) [Mississippi, ca. 1881 ou 1891-1934] : l'influence de cette grande figure du Delta s'exerce sur Tommy Johnson, Son House, Bukka White, Big Joe Williams ou Howlin' Wolf. Il enregistre près de soixante-dix titres entre 1929 et 1934. *[pages 61, 142]*

PLEASANT JOE [Pleasant Joseph] (voc, p) [Louisiane, 1907-1989] : Pleasant Joe débute une carrière discographique en 1945 qui se prolonge jusque dans les années quatre-vingt après plusieurs tournées en Europe. *[page 146]*

REYNOLDS, Blind Joe (voc, g) [Arkansas, 1900-1968] : chanteur guitariste devenu aveugle à la suite d'une bagarre, il enregistre quatre titres à Memphis en février 1930. *[page 103]*

ROBINSON, Elzadie (vo) : enregistre presque quarante titres entre 1926 et 1929. *[pages 51, 63]*

SCRUGGS, Irene (vo) : enregistre une centaine de titres entre 1921 et 1930. *[pages 100-101]*

SHADE, Will (voc, g) [Tennessee, 1898-1966] : grave quatre titres sous son nom en 1928 et 1932 ; il est surtout connu pour être l'animateur du Memphis Jug Band et du Picanniny Jug Band. Il enregistre à nouveau entre 1956 et 1960. *[page 116]*

SMITH, Bessie (vo) [Tennessee, 1894-1937] : la plus célèbre des chanteuses de blues dit classique ; elle enregistre près de deux cent dix titres entre 1923 et 1934, accompagnée par les plus grands jazzmen comme Louis Armstrong ou Coleman Hawkins. Elle décède dans un accident de voiture. *[page 90]*

SPECKLED RED [Rufus Perryman] (voc, p) [Louisiane, 1892-1973] : enregistre vingt titres entre 1929 et 1938, puis à nouveau à partir de 1956. Effectue une tournée en Europe en 1960. *[pages 31, 70-71]*

STEVENS, Vol (vo) : l'un des chanteurs du Memphis Jug Band. *[pages 139]*

SYKES, Roosevelt (voc, p) [Arkansas, 1906-1983] : plongeur, garçon de café, avant d'effectuer ses débuts discographiques en 1929, Roosevelt Sykes accède à une grande popularité (plus de cent cinquante titres enregistrés entre 1929 et 1942) et profite pleinement du *blues revival*, fait sa première tournée en Europe dès 1961, grave une multitude d'albums et participe à de nombreux festivals. *[pages 85, 94]*

TAMPA RED [Hudson Woodbridge] (voc, g) [Géorgie, 1904-1981] : Tampa Red enregistre plus de trois cent trente titres sous son nom entre 1928 et 1953, en compagnie de Georgia Tom sous le nom des *Hokum Boys* et d'autres en tant que leader de son *Hokum Jug Band*. Retrouvé par Sam Charters, il grave deux albums en 1959. *[pages 30, 34, 35, 104, 144, 153]*

TARPLEY, Slim [Sam] (vo) : Slim Tarpley enregistre une douzaine de titres entre 1929 et 1931, certains en compagnie des pianistes Cow Cow Davenport et Will Ezell. *[pages 38, 40]*

TAYLOR, Montana [Arthur] (voc, p) [Montana, 1903- ?] : Montana Taylor enregistre quatre titres en 1929 à Chicago, puis une douzaine en 1946. Sa trace a ensuite été perdue. *[page 150]*

THOMAS, Ramblin' [Willard] (voc, g) [Louisiane, 1902- ca. 1945] : enregistre quatorze titres en 1928. *[pages 96, 129]*

TOWNSEND, Henry (voc, g, p) [Mississippi, 1909] : Henry Townsend enregistre douze titres entre 1929 et 1937, devient encaisseur pour une compagnie d'assurances au début des années cinquante et réenregistre à partir des années soixante, avec l'accession du blues à une audience internationale. *[page 58]*

WHEATSTRAW, Peetie (voc, p) [Tennessee, 1902-1941] : il est connu pour être l'un des piliers du blues de Saint Louis et enregistre abondamment (plus de cent soixante titres) entre 1930 et 1941 avant de décéder dans un accident de voiture. Il s'affublait indifféremment des surnoms de "Beau-fils du diable" (*Devil's Son-in-Law*) ou de "Shérif de l'enfer" (*High Sheriff from Hell*). *[pages 47, 49, 52, 82, 106-107, 128]*

WHITE, Bukka [Booker T. Washington] (voc, g) [Mississippi, 1906-1977] : Bukka White mène une vie errante durant sa jeunesse, devient boxeur puis joueur de baseball, tout en continuant à jouer dans les rues. En 1939, il est emprisonné pour agression à Parchman Farm où Alan Lomax l'enregistre pour la Bibliothèque du Congrès. Après sa libération, il se fixe à Memphis où il travaille dans une entreprise de fosses septiques. Il enregistre trente titres entre 1930 et 1940 puis, après sa redécouverte, en 1963, tourne en Europe et enregistre jusqu'au milieu des années soixante-dix. *[page 131]*

Cet ouvrage a été composé en Didot [Adrian Frutiger, 1991].
Il a été conçu, photogravé et réalisé par l'Atelier Graphithèses à Marseille.

Achevé d'imprimer le 10 octobre 2002 sur les presses de l'imprimerie Basic Color
à Nîmes pour les compte des Éditions Parenthèses à Marseille.

Dépôt légal : octobre 2002.